黄河國家治理文獻集成（民國卷）第二册

《黄河國家治理文獻集成》編委會 編

總第六十六册

豫河志（一）

吴篔孫 編

董杰 編

内蒙古出版集團
内蒙古人民出版社

圖書在版編目（CIP）數據
豫河志. 一 / 吴篔孫, 董杰編. -- 呼和浩特 : 内蒙古人民出版社, 2025. 8. --（黄河國家治理文獻集成）. -- ISBN 978-7-204-18459-0
Ⅰ. TV882.1
中國國家版本館 CIP 數據核字第 2025KZ6097 號

豫河志（一）
吴篔孫 編

編　　者 董 杰
策劃編輯 王 瑶
責任編輯 羅 婧
裝幀設計 劉那日蘇 吉 雅 安立新
責任監印 包鐵柱
出版發行 内蒙古出版集團 内蒙古人民出版社
地　　址 呼和浩特市新城區中山東路 8 號波士名人國際 B 座 5 層
網　　址 http://www.impph.cn
印　　刷 内蒙古愛信達教育印務有限責任公司
開　　本 880mm×1230mm 1/16
印　　張 17
字　　數 200 千
版　　次 2025 年 8 月第 1 版
印　　次 2025 年 8 月第 1 次印刷
印　　數 1—1000 册
書　　號 ISBN 978-7-204-18459-0
定　　價 140.00 元

編纂委員會

引言

千古河流成沃野，幾年沙勢自風湍。

得益于黄河冲積所帶來的疏松土質和有機物，中華先民利用石製工具開始了農業生産，并逐步發展出旱地粟作農業，『能够最大程度保障食物供給的穩定性，奠定了中華文明起源和形成的堅實基礎』[一]。而利用河水灌溉，提高區域可預測農業産量，『在産業史上起着最有决定性的作用』[二]。隨後，技術進步、經濟發展、人口增加，讓先民的文化生活大爲豐富。嚴文明先生評價道：『這是一場影響深遠的革命。』[三]在這場革命中，平衡水、沙、産、人四者之間的關係，始終是黄河治理的核心問題。四者關係一旦失衡，就容易引發諸多灾患。

歷史上，黄河下游因人口稠密、經濟發達，一直是學術界關注的重點。但自河源至今内蒙古托克托縣河口鎮的黄河上、中游區域，雖遠離王畿，人口稀疏，却也一直備受關注，人們逐步認識到黄河全流域治理是國家的重要任務。《漢書》載：『堤防之作，近起戰國，雍防百川，各以自利。』[四]没有全流域的協同治理，僅靠各地分段築堤，則黄河河患無法解决。秦建立了中國歷史上第一個中央集權大一統王朝，秦始皇東巡碣石，刻石銘記『决通川防，夷去險阻』[五]，開啓中央政府調動各要素治黄之先河，這『在中國，實質上是國家的一種職能』[六]。同時，國家通過對黄河的有效治理，爲沿黄流域人民群衆乃至其他地區人民群衆提供了重要的公共物品和産業支撑，成爲人民群衆眼中中央政府的功過評價指標之一。因此，治黄在增强沿黄各族群國家、政治、文化認同的基礎上，强化了中國大一統國家的合法性，成爲歷代國家治理能力的一個重要測度。

一、黄河治理維護了國家的社會穩定

從秦并六國到漢朝建立大一統國家，中國統一的多民族國家形成并得到初步發展。當時中央政府對所轄疆域有『北邊郡』和『内郡』之稱。内蒙古額濟納旗出土的居延漢簡有載，『豤（墾）田以鐵器爲本北邊郡毋鐵官印器内郡令郡以時博賣予細民毋令豪富吏民得多取販賣細民』，可以看出北邊郡是與内郡相對應的行政管轄區域。《史記》卷二十八『封禪書第六』載：『上乃遂去，並（并）海上，北至碣石，巡自遼西，歷北邊至九原。』[七]。《史記》卷三十『平準書第八』載：『天子北至朔方，東到太山，巡海上，並（并）北邊以歸。』[八]司馬遷多次提及北邊，足見統治者對北邊治理的重視。

漢武帝時，齊人延年提出從今内蒙古引黄河水經今北京一帶，向東注入渤海，以衛北部邊疆。『是時方事匈奴，興功利，言便宜者甚衆。齊人延年上書言：「河出昆侖，經中國，注勃海，是其地勢西北高而東南下也。可案圖書，觀地形，令水工準高下，開大河上領，出之胡中，東注之海。如此，關東長無水災（灾），北邊不憂匈奴，可以省隄（堤）防備塞，士卒轉輸，胡寇侵盜（盗），覆軍殺將，暴骨原野之患。天下常備匈奴而不憂百越者，以其水絶壤斷也。此功壹（一）成，萬世大利。」』〔九〕《史記》卷二十四『樂書第二』載：『天馬來兮從西極，經萬里兮歸有德。承靈威兮降外國，涉流沙兮四夷服。』〔十〕如今，包頭地區出土了『四夷盡服』瓦當，出土文物與傳世文獻的呼應，成爲黄河治理維護祖國北部邊疆穩定的見證。

《史記》卷三十『平準書第八』載：『嚴助、朱買臣等招來東甌，事兩越，江淮之閒（間）蕭然煩費矣。唐蒙、司馬相如開路西南夷，鑿山通道千餘里，以廣巴蜀，巴蜀之民罷焉。彭吳（吴）賈滅朝鮮，置滄海之郡，則燕齊之閒（間）靡然發動。及王恢設謀馬邑，匈奴絶和親，侵擾北邊，兵連而不解，天下苦其勞，而干戈日滋。』〔十一〕清代《汾陽縣志》卷十三『藝文』收録曹學閔《開修黄蘆嶺車路紀德政碑記》，上載：『永寧州，界連西陲，北達邊外歸綏諸路，商賈遠貿粟麥，泛皮船隨黄流南下，聚于州西磧口，一府之民仰利賴焉。而東至太原，南抵平陽，州縣凡二十餘，亦視汾爲橐鑰，蓋所繫非特一方生計矣。』〔十二〕民國時期，東北淪陷後，開發西北刻不容緩，而『黄河中游之水利，自應加以擴充及整理，藉（借）收桑榆之效，以挽狂瀾於（于）萬一』〔十三〕。

因黄河流域自然條件優越，歷朝歷代都十分重視對此地的開發，通過強有力的國家干預方式推動各類産業的發展，爲中國北部疆域的形成和社會穩定奠定了基礎。

二、民族交往、物資交流、技術轉移促成黄河治理共同體

《史記》卷十五『六國年表第三』載：秦始皇三十三年（前214），『築長城河上，蒙恬將三十萬』[十四]。這數十萬人中，擁有一技之長的人員不在少數。由此，邊地人口不斷增多，而豐富的物産則促進了商品交流與統一市場的形成。西漢《鹽鐵論・力耕第二》記録了『异物内流』的情形：『是以贏（騾）驢馲駞（駝），銜尾入塞，驒騱騵馬，盡爲我畜，鼲鼦狐貉，采旃文罽，充於（于）内府，而璧玉珊瑚瑠（琉）璃，咸爲國之寶。』[十五]此後，黄河北岸的『贏（騾）驢馲駞（駝）』『驒騱騵馬』『鼲鼦狐貉』『采旃文罽』與西南織錦、中原麻織、農作物等物資相互交流，逐步形成統一的國内大市場，加强了邊疆與其他地區的經濟聯繫，促進了邊疆特色産業的發展。

隨着民族交往交流交融的增强，清代以降，黄河流域内蒙古段輸入到内地的也不僅僅是『异寶』了。《綏遠通志稿・水路》載：『自乾隆以還。口外墾殖日廣。民殷物阜。出境之油、糧、鹽、鹼（碱）、甘草各貨。入境之日用雜貨。山西與歸綏往來之商運。凡經河路者皆以托屬河口爲唯一之碼頭。』[十六]從清乾隆年間到民國時期，由内蒙古經黄河運到山西的貨物有糧、油、鹽、碱、藥材、皮毛等，其中以糧油爲最大宗。糧食品種主要有糜黍、穀子、高粱、豆類及玉米、大小麥

等，油料主要是胡麻。內蒙古供貨支綫有從阿拉善盟阿拉善左旗吉蘭泰鹽池到山西吕梁市磧口鎮的運鹽駝路，五原縣、臨河區一帶各大幹渠的運糧水道，杭錦旗、達拉特旗的甘草馱運綫，鄂托克旗的運碱駝路。內蒙古段各條支綫以供貨爲主，山西段若干支綫以運銷爲主。

《臨縣志》載：『清朝乾隆至民國年間，陝、甘、綏、蒙等地的物資，通過此航綫運達磧口，再用牲口馱運到離石、吴城，轉運至東路（汾、平、介、孝等縣）。據民國 20 年（1931）統計，每年從綏遠磴口航至磧口的貨船不下 4000 餘艘』，『是陝、甘、綏、寧與晋西北物資集散之重鎮』。〔十七〕可見，內蒙古在甘肅、寧夏與陝西、山西等沿黄上下游物資交易中起到了重要的聯結作用；同時也吸引了山西、陝北、河北、山東、甘肅等地的農民遷移至此，并將開渠打壩、引水澆地等農業生産技術、手工技術和商業貿易經營方式帶到這裏。他們在此扎根，除了從事農業生産外，還挖甘草、下窑背炭、在黄河上拉船、在沙漠中拉駱駝、打短工放冬羊、開碾磨油坊，等等。不同地域、不同民族的人們合力修築河渠、引水興業，逐漸形成休戚與共的共同體。其間積纍的産品交易、商業管理、社會治理等方面的經驗，在今天依然有借鑒意義。

清代『首重治河，探河源以窮水患』〔十八〕，但更深層次的考量是『宣揚大一統及增强國家認同』〔十九〕。黄河流域人口基數大、分布廣，而全流域治理理念將不同地區、不同民族的人們凝聚成命運共同體，而『大一統』理念正是這一治理實踐的核心主題。

三、黄河流域拓展了中國的發展空間

早期統治者因巡幸及邊防建設所需，統籌管理沿黄河運與秦直道等沿黄馬道，維持着中央政府對北邊的有效治理。河套平原引黄渠道的建設爲秦漢王朝屯田事業提供了基本的水利保證，并將這些區域變成防禦北部邊患的大後方與根據地。于是，沿黄馬道、沿黄河運與萬里茶道、草原絲路等陸路運輸聯通起來，促進了中華文明與其他文明的交流互鑒，拓展了新的發展空間。

新中國成立之後，沿黄各族兒女在中國共産黨的領導下團結合作、艱苦奮鬥，實現了大河安瀾。黄河流域建立起行之有效的防洪抗汛機制，支撑着沿岸的産業發展，改善了周邊生態環境。當代治黄史證明，正是由于中國共産黨的正確領導以及集中力量辦大事的制度優勢，纔從根本上減輕了河患的威脅。進入新時代，黄河流域在築牢安瀾根基的同時，以蓬勃活力拓展着中國的發展空間。沿黄九省區在協同發展中不斷釋放潛力，讓黄河流域成爲國家區域協調發展戰略中不可或缺的重要一極，爲中國的發展源源不斷地注入新動能。

綜上所述，黄河流域的治理不是單純的河道治理、生態環境治理或社會治理，而是一種關涉水、沙、産、人四者關係的系統性、協同性治理，是推動國家可持續發展的動力，也是厘清國家治理與邊疆治理兩者動態交互實際效果的絶佳視角。而黄河工程等『中國本土理論資源、學術積纍』〔二十〕，有助于研究國家治理的演進歷程。進入新時代，黃河治理與國家治理的關係研究不斷開闢新視角、持續涌現新成果，其中鑄牢中華民族共同體意識、邊疆治理與黃河流域生態保護和高質量發展成爲非常重要的研究視角。因此，基于這一角度搜集整理黃河國家治理文獻，意義重大。《黃河國家治理文獻集成》，應運而生。

本叢書系統梳理了黃河治理的歷史脉絡與經驗，既爲新時代黃河流域生態保護和高質量發展提供了歷史鏡鑒，更以文獻爲載體，傳承了治理智慧、凝聚了民族力量，是服務國家發展戰略、鑄牢中華民族共同體意識的重要學術實踐。

《黃河國家治理文獻集成》編委會

二〇二五年一月

〔一〕韓建業：《中華文明的起源和形成》，載《中華民族共同體研究》2022 年第 4 期，第 80–91+172 頁。

〔二〕中共中央馬克思恩格斯列寧斯大林著作編譯局：《馬克思恩格斯選集》第二卷，人民出版社，2014 年，第 240 頁。

〔三〕嚴文明：《黃河流域文明的發祥與發展》，載《華夏考古》1997 年第 1 期，第 49–54+113 頁。

〔四〕（漢）班固：《漢書》卷二十九『溝洫志第九』，中華書局，1964年，第1692頁。

〔五〕（漢）司馬遷：《史記》卷六『秦始皇本紀第六』，中華書局，1963年，第252頁。

〔六〕冀朝鼎：《中國歷史上的基本經濟區與水利事業的發展》，朱詩鰲譯，中國社會科學出版社，1981年，第7頁。

〔七〕（漢）司馬遷：《史記》卷二十八『封禪書第六』，中華書局，1963年，第1398–1399頁。

〔八〕（漢）司馬遷：《史記》卷三十『平準書第八』，中華書局，1963年，第1441頁。

〔九〕（漢）班固：《漢書》卷二十九『溝洫志第九』，中華書局，1964年，第1686頁。

〔十〕（漢）司馬遷：《史記》卷二十四『樂書第二』，中華書局，1963年，第1178頁。

〔十一〕（漢）司馬遷：《史記》卷三十『平準書第八』，中華書局，1963年，第1420–1421頁。

〔十二〕（清）方家駒修，（清）王文員纂：《汾陽縣志》卷十三『藝文』，清光緒十年刻本，第57–58頁。

〔十三〕王華棠、劉錫彤、吴樹德：《黄河中游調查報告》，華北水利委員會編印，1934年，第1頁。

〔十四〕（漢）司馬遷：《史記》卷十五『六國年表第三』，中華書局，1963年，第758頁。

〔十五〕王利器：《鹽鐵論校注》，中華書局，1992年，第28頁。

〔十六〕綏遠通志館：《綏遠通志稿》第十册，内蒙古人民出版社，2007年，第176頁。

〔十七〕臨縣志編纂委員會：《臨縣志》，海潮出版社，1994年，第273、321頁。

〔十八〕趙爾巽等：《清史稿》卷一二六『河渠一』，中華書局，1977年，第3715頁。

〔十九〕劉惠：《乾隆朝重構黄河河源的實踐與國家認同》，載《清華大學學報》（哲學社會科學版）2018年2期，第147–154+195頁。

〔二十〕許耀桐：《當代中國『治理』概念的演進探析》，載《國家現代化建設研究》2023年3期，第100–111頁。

出版前言

黄河，中華民族的母親河，她不僅孕育了中華文明，更見證了中華民族數千年的發展歷程。習近平總書記深刻指出：『從某種意義上講，中華民族治理黄河的歷史也是一部治國史。』這一重要論述，爲新時代黄河文化的保護傳承以及流域治理提供了根本遵循，也深刻揭示了黄河治理在國家發展和民族復興進程中的核心地位。在學習貫徹習近平新時代中國特色社會主義思想，積極響應國家黄河流域生態保護和高質量發展重大戰略，大力推進北疆文化建設的背景下，《黄河國家治理文獻集成》的編纂出版，具有重要的歷史意義、學術價值與現實指導意義。

黄河治理，自古以來就是國家的頭等大事。從遠古時期大禹治水，到當代運用科學技術進行系統治理，中華民族在數千年的時間裏，積纍了豐富的治河經驗，留下了浩如烟海的文獻遺産。《黄河國家治理文獻集成》收録了元代至民國時期古籍、朱批奏摺、期刊圖片等多模態文獻資源。這些文獻内容豐富、維度多元，既包含記載河工技術、治理方略等的專書，又有漢文朱批奏摺、工程檔案以及不同區域的調查研究報告等。民國時期的文獻則標志着現代水利科學開始融入黄河治理，展現了我國水利事業在時代變革中的創新與發展。近代照片的收録則以更加直觀的方式將黄河治理、黄河沿岸的風貌呈現給讀者。

該文獻的出版，不僅是對瀕危黄河文化遺産的及時搶救與保護，更是對我國水利史、國家治理史、邊疆治理研究學術鏈條的重要補充，具有較高的文獻價值和學術意義。尤爲重要的是，這一集成工作，深度契合鑄牢中華民族共同體意識這一全黨全國各族人民的共同任務。各民族在治理黄河的歷史進程中，緊密協作、共同探索，這些珍貴文獻便是各民族交往交流交融和中華文明認同的生動見證。對這些文獻進行整理出版，能够讓各族人民更加深刻地認識到，在歷史長河中，各民族共同爲黄河治理貢獻了力量，共同守護了家園，從而進一步增强對中華民族共同體的認同感與歸屬感，夯實鑄牢中華民族共同體意識的歷史根基。

《黄河國家治理文獻集成》以『國家治理』爲核心綫索，構建起一個全面、系統、多維的文獻體系：在時間跨度上，聚焦從元代至民國這一傳統治河向現代水利轉型的歷史時期，爲深入研究我國水利事業的發展脉絡提供了清晰的時間坐標；在内容分類上，細緻劃分爲技術專著、工程檔案、區域研究、朱批奏摺、科學報告、圖片等類别，涵蓋黄河治理的各個方面，從不同角度展現了我國在黄河治理上的探索與實踐；在版本選擇上，秉持嚴謹、科學的態度，確保文獻内容的準確性與代表性，爲學術研究奠定堅實基礎。

在編纂過程中，叢書特别注重『全流域治理』的理念，不僅收録了有關下游防洪治河的重要文獻，還涵蓋了中游地區水土保持以及上游地區灌溉開發等方面的珍貴記載。這種對黄河全流域治理的全方位關注，與當前『共同抓好大保護，協同推進大治理』的要求高度契合，充分體現了叢書在傳承歷史文化遺産的同時，緊密服務于當代國家發展戰略的時代價值。

在出版過程中，嚴格保持原書的版式與行款，最大程度地還原文獻原貌。對于部分出現黴變、殘缺的頁面，運用先進的數字化修復技術進行精心處理，在保留原始批注與印章痕迹的基礎上，兼顧了文物的真實性與文獻的可讀性。

此外，爲了更好地服務讀者，方便學術研究，本叢書新增了目録、提要等内容，這些新增部分由編委會精心撰寫。新增目録一般編製二級，個别圖書編製三級；原書有目録而内文無對應標題的，根據原書目録照録；原書目録爲關鍵詞或者其他情况的不編製目録；原書目録與内文不一致的，以原書内文爲準；原書無目録的，按卷端、版心或其他部分輯録；一册書中收録多種圖書的，以書名爲一級標題，編製二或三級。在文字使用上，統一使用現代漢語規範繁體字，對于原版文獻中的异體字、避諱字也使用現代規範繁體字，無對應規範繁體字的保留原字。

《黄河國家治理文獻集成》的出版，是對黄河文化遺産的一次系統性、搶救性保護，具有重大而深遠的現實意義：從學術價值層面來看，叢書成功構建起一座連接傳統與現代治黄文獻的橋梁，爲黄河流域生態保護、水利工程史、國家治理史、邊疆治理、中華民族共同體學等多個領域的學術研究提供了豐富、翔實的基礎文獻，有力推動了相關學科的發展與創新；從文化價值角度而言，生動展現了北疆文化與黄河文化在歷史長河中的交融共生，爲内蒙古『北疆文化』品牌建設提供了堅實的文獻支撑，進一步豐富了中華文化的内涵與外延；從實踐價值方面考量，書中所藴含的治河理念爲我們在新時代背景下實現人與自然和諧共生、推動黄河流域可持續發展提供了寶貴的歷史經驗與智慧啓示。

在此，我們要衷心感謝各藏書機構的大力支持，正是他們提供了珍貴底本資源，纔使得本叢書的編纂出版成爲可能。同時，我們也要向文化遺産智能應用服務中華民族共同體建設『英才與蒙』團隊致以崇高的敬意，他們歷經五年的辛勤耕耘，以嚴謹的治學態度和專業的學術素養，對文獻進行了系統的整理和輯録，爲叢書的内容質量提供了堅實保障。此外，我們還要特别感謝内蒙古自治區黨委宣傳部、内蒙古出版集團將本叢書納入『北疆文庫』重點項目，并在出版過程中給予全方位支持與幫助。

我們衷心期待，這套凝聚着無數心血與智慧的《黄河國家治理文獻集成》，能够在新時代的『黄河大合唱』中奏響歷史的强音，爲黄河流域生態保護和高質量發展注入强大的歷史動力，讓黄河文化在保護中傳承，在傳承中創新，在創新中不斷發展，綻放出更加絢爛的光彩。同時，希望這套叢書能够成爲促進各民族文化交流、鑄牢中華民族共同體意識的重要載體，助力各民族更加緊密地團結在一起，共同爲實現中華民族偉大復興的中國夢而努力奮鬥，讓中華民族共同體意識在黄河文化的滋養下，扎根于每一位中華兒女的心中，成爲推動中華民族不斷前進的强大精神力量。

提要

《豫河志》于1923年出版，是河南省境内黄河（及沁河）水利工程的首部專志，由吴筼孫主編。吴筼孫，河南固始人，生卒年不詳。

全書共28卷，涵蓋圖、源流、工程、經費、祀典、職官、雜記等七大板塊，約29萬字。在源流部分，本書主要徵引了《禹貢》等史籍，其餘部分則以斷代形式記述了從清順治元年（1644）至宣統三年（1911）的豫河史料，開創了以省為單位撰修河志的先河。儘管《豫河志》未涉及地下水文、生態影響等現代議題，但它為後續研究提供了寶貴的數據基礎。本次出版采用的是1923年鉛印本。

總目録

第一册

第四冊

第一册目録

水經注

豫河志

信陽陳善同題

中華民國十二年十月河南河務局印

河渠舊蹟

水竹邨人題

循源溯流

徐世光

序

士大夫讀書稽古關懷梓桑凡名山大川之在其地者靡不博稽羣書旁稽衆說精心研
覈辯謬訂訛以爲因革損益隨時考查之鋏証余豫人也黃河豫瀆也源雖發於崑崙然
禹貢導河由積石而龍門而華陰而底柱以至於孟津大伾道經豫境者最多其源流經
緯分合伏見以及疏濬啟閉波瀦蓄洩之法凡我豫人皆當因委窮源逐細研求藉以雪
數典忘祖之譏況職司河務者尤屬責無旁貸更未可以度外置之也顧吾豫自張清恪
公總督河道時著有居濟一得八卷附河漕類纂一卷採入四庫全書迄今二百餘年吾
鄉士大夫以著述鳴者固不乏人而河務專書竟付闕如斯亦豫省一憾事也河南河務
局自吳君詠湘來爲局長乃慨然有修豫河志之舉書成見示并囑爲文以弁簡端余照
而誦焉除圖以外一源流次工程六經費與祀典終以雜著其體裁已詳凡例無容贅述
其宗旨則以彙輯成案借資考鏡爲主在實用不在空談誠爲河渠歷史上鐵板之主義
夫治河有成績而無定形查張清恪公所陳三禁三束四防八因諸條固皆躬親履勘事
事切於實用較之萬斯同河源攷薛鳳祚兩河清彙以及崔惟雅芻議或問等書條分縷

河南印刷局印

晰最稱詳贍惟水視地遷法隨時變神而明之存乎其人若必拘拘於簿籍文書之跡則刻舟求劍識者曰悞矣然若無簿籍文書之可稽竊恐書闕有間不特薦紳先生難言之即于役河干人員摘埴索塗茫茫無所操將何從而徵之且信之耶吳君詠湘爲吾鄉望族仕不廢學言有足徵綜計生平宦績由魯而豫從事茭防者十餘稔矣以故紀事纂言皆由躬行實踐而來絕非紙上之空談是志也實與居濟一得爲吾鄉絕無僅有之書余固不敢曰吳君學問經驗與鄉先哲淸恪公相提而并論然就豫言豫就志言志搜殘補闕自順康以後之大經大法皆得幷垂不朽後之人考已往之成規樹將來之遺範均於是志取法焉其有功於吾豫河防者豈淺鮮耶查河南通志向列河防一門余涖豫後籌設全省通志局甫經開幕而是志適先告成足資甄採不禁先覩爲快而揭櫫之以餉同人庶可爲防河之一助云爾是爲叙安陽張鳳臺謹識於梁垣公署

嘗聞陸朗夫中丞請修河渠志之言矣曰有每歲經營之迹無百年不變之形昔人所編河渠諸書止就彼時事勢而言閱歷年歲遂多歧異不及今豫為一書則後人考鏡無資蓋官運河道時所上在乾隆三十九年前後總督東河者實為姚公立德當時雖然其說議修然卒未聞成書迨中丞以居憂按察使復銜命視運河乃自成備考六卷而別著河防要覽一書而皆非此書內所擬自雍正以來黃流之決塞運道之變更閘壩之廢置泉流之通塞官師之增并錢糧之盈絀及時追錄以上接全河備考治河方略行水金鑑諸編之說也筠孫既領河隄之役連年行河之暇每欲考歷來遷變之由與夫前人之良法美意足以為則傚之資者而不得其書著於世者皆南河諸書其中以行水金鑑為最後然所載至康熙六十年而止河工之要者在成案則文書簿籍是已亦嘗於此求之然一事始末不能銜接者十常六七或乃僅有其名稱可稽其始末悉付之茫然者亦有之蓋自雍正二年以前豫之黃河或統於南河或兼於豫撫而沁河則為豫撫專司因其分也而兩不能全雍正二年以後既由副總河改為總河名曰東河與南河劃然為二事矣然二百餘年蘭陽武陟濟衛開封總河駐所既不常厥居卒乃裁總河併於巡撫歲月既已

久遠益以遷移之頻迭所謂文書簿籍則架閣之朽腐斷爛者有之交代之散亂湮沈者有之吏胥乘移轉之際隱沒居奇者尤不能免用是有所深懼而興纂輯之意計去朗夫中丞建議時又一百四十餘年而究不敢忘其言以爲及此時而爲之抱殘守闕冈已是千百之十一倘復因循將並此十一之僅存者亦且不得而見一朝之大經大法敢以敝屣置之乎於是屬員司以鈔錄之事而筼孫總而輯之先求之檔案其有不具者則徧及他書兩年於茲粗得訖役書成名之曰豫河志誠知有如中丞所謂河東所轄開歸二道在黃河腰脊之間止敘一節全體不完然自銅瓦廂決口以後姑無論南河之久裁也即東河總河所得轄者亦祇河南南北兩岸二百餘里之河雖使今日總河之職尙存亦祇能就豫言豫是編闕畧之譏誠所難免要亦竭吾力矣吾力之所不能及者則亦付之無如何耳然如河南通志成於雍正十三年其河防一門於當時興建有關闕而未錄而今之補入者固自不少又如李觀察逢亨所修永定河志在嘉慶之時而於初建隄工及設官設兵諸原案已稱年久卷牘殘缺所甄錄祇百餘年間事而已如此况從二百餘年以後欲在在原始要終不免感胃於書缺有間矣異日或有所獲當別成補遺一編[illegible]心則

然而未敢必其能操左券然自順治之初以逮光宣之時行河之大要畧具於是矣循其涂而範我馳驅固三人之師也後之覽者毋亦諒此大輅椎輪之苦乎中華民國十年歲在辛酉仲冬固始吳篔孫序

河南印刷局印

治河之書舊皆詳於南河而豫爲獨畧然河自華陰以東入豫挾建瓴之勢奔騰衝激千有餘里至廣武而下地形尤爲平衍土疏沙浮頗稱難治顧自河流南趨奪淮而後稍不順軌則害及運道是以明清兩朝治河專家若潘尚書季馴靳尚書輔精力皆萃於南河而所著河防一覽治河方畧等書亦皆多言南河也詎知南河不治患在肢體豫河不治患在腹心南河不治蘇魯固被其災豫河不治豫直皖先受其害而蘇魯必將波及其究也運道亦不能免豫河顧可忽乎哉今南河絕流已六七十年矣可無贅言所亟宜治者首在於豫然欲治其病必先求其受病之源與歷年所試之法若者爲有功若者爲無效深思而慎擇之庶有濟乎壬戌之夏長耀來長豫之河務適繼固始吳君詠湘之後吳君在任時輯有豫河志二十八卷甫經脫稿而解組長耀得卒讀之於有清一代之經營籌措遷流沿革探錄綦詳堪爲從事豫河者之殷鑑暨凡爲河者韋弦之助也亟囑繕清以付剞劂未及觀成而長耀又受代矣宦海升沈浮雲變幻爰爲是序以當驪歌之唱並以誌數月來鴻爪之留云爾

中華民國十一年十一月會川鄧長耀序

黄河志　一

黄河發源阿勒坦郭道青海甘肅山陝六千餘里至潼關入豫境又千里出豫境自三門以上河流爲兩岸之山所束循涂守轍不能少縱自三門以下北太行南廣武兩脈截然而止河突得平地挾高屋建瓴之勢奔騰湍悍幾於不可收拾顧河之爲患也其下游或北取道直魯由碣石與千乘入海或南取道蘇皖奪淮由雲梯關入海兩溜不能并大一方即時有決塞患雖烈而尚有息肩之日獨豫省正當河身土疏沙鬆衆衝數百里間自周定王迄今潰決之事較多昏墊之禍亦較慘此固地勢爲之人力無可如何者禹貢導河龍門以下南至于華陰東至于砥柱又東至于孟津東過洛汭至于大伾皆豫州也于冀兗二州則第曰北過降水至于大陸而已曰又北播爲九河同爲逆河而已桑欽水經記河水自黎陽以下辭亦較略蓋豫省異工緩急異勢如此其相懸也有清一代黄河決三十九次豫境乃二十四次而漫溢尚不在内是豫河工程固居全河五之三而强然其時工部河防經費歲糜千數百萬南六而豫四而河臣記河事者如治河方略河防志略安瀾迴瀾記要居濟一得行水金鑑等書亦獨於南河加詳毋亦以事關濟運京師民食所繫不得不有所畸重與銅瓦廂一決河改漕停都水官制漸次縮減國家之重河工已

河南印刷局印

非復乾嘉道咸之舊然而豫河自鄭工後四十年來猶苟安無事不見災侵之警者塼石埽垜逐年添築碁布星羅足資抵禦且河身較寬伏秋漲發時尚有容納餘地非下游流狹溜急者比也惟是隄址日高淤澱日積勢隨時變不無可慮夫上游者下游之率也前事者後事之師也河流無百年不變之形行水亦無一成不易之法驗之實蹟以策其全參之古人以要於久斟酌而用之神而明之監於成憲夫豈在遠已未吳詠湘先生涖長豫河亟欲爲桑梓謀捍患救災一勞永逸之策乃仿南河成案正續編遺意搜查本署檔冊并雜考他書始自清世祖終於遜帝凡與豫河有關者彙輯成帙源流工程經費祀典職官五項各以類從而名人論著并摘要附錄於後都爲二十八卷顏曰豫河志雖自稱難免闕略然由順治迄宣統二百七十年豫河之制其大要已粗具於此先生之用心可謂勤矣壬戌秋稿甫脫先生去官鄧君鑑三繼之未及觀成余乃續爲參校而付之梓後之從事斯職者誠能手此一編深究古今因革損益之故則所謂行所無事當不難於此中得之將匪獨吾豫一省之福下游四省實利賴之至於職官制度之變遷柳濬船隻之廢置工段區域之起訖兵夫食額塼石埽垜柳稭埽材之因時定制允宜原始要終分別

表列公餘之暇當爲從事賡續藉竟全功先生其許我乎是爲序中華民國十二年癸亥

立秋前五日信陽陳善同

凡例

一河渠本史志之一類然自馬班而後諸史往往分別部居各爲起訖茲從其體不爲長編以類區之分類之中仍以年爲次第

一言河諸書如全河備考治河方略行水金鑑皆不以志名惟永定河道李觀察逢亨於嘉慶時所修永定河志望江倪中丞文蔚於同治時官荊州府修萬城隄志皆以志名分類標題故從之

一李倪二志分類之法固善矣然傷於瑣屑反易混淆茲編於圖而外祇於源流工程經費祀典爲分別略足盡河之大綱矣

一永定河志於各類之外又有奏議一類是則分類而又兼長編也未免自亂其例萬城隄志無之是矣茲編本以奏議爲主或一疏而必應兩見者則分別詳略

一永定河志有附錄一類萬城隄志有志餘一類茲仿其例綴以附著

一河防固以黃爲重然沁工關繫亦要故河南通志以沁入河防茲從其例名曰豫河志既不專主於黃亦別於舊所謂東河其餘諸水概不及焉

河南印刷局印

一是編既前無所因故取義於斷代爲書凡屬於有明者河南通志已著之其在民國者則別從詳輯爲續編

一是編經始於民國八年十一月至十二年八月方得付印以案牘之紛繁載籍之浩博參稽考訂實有多人如分任編輯者番禺黎士安夏邑李續曾商城周德萱李大捷桐廬袁允橚涿縣康呂第昆明孫務義紹興陳鳳銜壽平格孫佐高平祁佑曾銅山崔銘箴任校勘者羅山曹景彬王榮搢校對者息縣黃光遠嘉善陳德輿監刊者汲縣高正綍繕寫者丁啟泰裴鼎銘張貞許述謙例得備書

豫河志目錄

河南印刷局印

河南印刷局印

豫河志卷一　圖

說明

一豫河志本係斷代爲書已詳凡例此圖乃清文宗咸豐五年河決銅瓦廂改道北行後之狀況爲清代最後之變遷

一此圖西自山西陜西河南交界起東至直隸河南交界止並附故道形勢

一河務局管轄工段南岸向自滎澤廣武山起至蘭封止由滎澤而上有印山爲天然之保障北岸自孟縣起至陳留之竹岡逾東止

一書因斷代故圖中僅分縣界斷於現時之組織如各分局工巡隊管轄地段概未列入

一兩岸埽壩工程因河勢變遷時有興廢圖中僅具河之形勢及隄之位置其餘工程限於篇幅概從簡略

豫河志

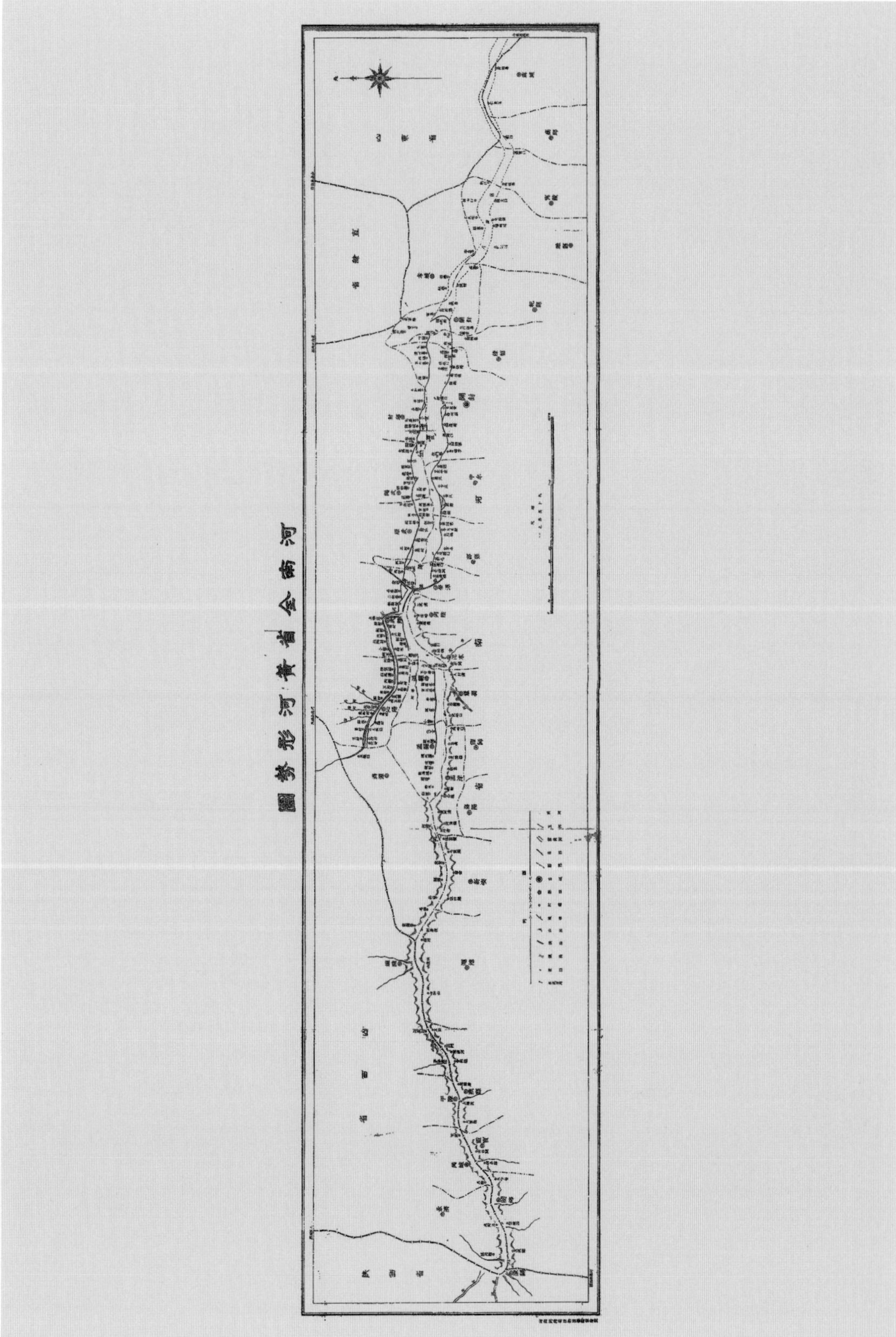
河南全省黃河形勢圖

尚書禹貢

導河積石至于龍門　傳曰施功發于積石至于龍門正義曰河源不始於此記其施功處耳　**南至于華陰**　傳曰河自龍門南流至華山北而東行易氏曰河自龍門口又二百里至陝州之西北對河爲華州華陰縣蔡氏曰華陰華山之北也　**東至于底柱**　傳曰底柱山名河水分流包山而過山見水中若柱然在西虢之界胡渭禹貢錐指曰西虢今河南府之陝州是也底柱在州東四十里黃河中　**又東至于孟津**　傳曰孟津地名在洛北都道所湊古今以爲津正義曰在孟地置津謂之孟津傳云地名謂孟爲地名耳杜預云孟津河內河陽南孟津也胡渭禹貢錐指曰河陽本晉邑漢置縣屬河內郡其故城在今河南懷慶府孟縣西南三十里　**東過洛汭至于大伾**　傳曰洛汭洛入河處山再成曰伾至于大伾而北行正義曰洛入河處河南鞏縣東也釋山曰再成英一成伾李巡曰山再重曰英一重曰伾傳曰再成曰伾與爾雅不同鄭康成云大伾在修武武德之界張揖云成皋縣山也漢書音義有臣瓚者以爲修武武德無此山也成皋縣山又不一成今黎陽縣山臨河豈不是大伾乎程氏曰洛既北入河河之南洛之北其南間爲汭汭之爲言在洛水之內黎陽山在大河垂欲趨北之地經之於何方其自南而東容即華陰以記折東之始今之其流東已遂垂欲折北亦當以地之極東者記之參猶其敘則黎陽實爲恆當而成皋則爲太甚也胡渭禹貢錐指曰黎縣漢屬河南郡其故城在今河南府濬縣西南三十里修武武德漢屬河內郡修武故城在今衛輝府獲嘉縣西北武德故城在今懷慶府武陟縣東成皋漢屬河南郡其故城在今開封府鄭州汜水縣西北黎陽漢屬魏郡其故城在今濬縣東北大伾山在縣東南二里　**北過降水至于大陸又北播爲九河同爲逆河入于海**

山海經

河南印刷局印

西次三經不周之山東望泑澤河水所潛也其原渾渾泡泡槐江之山邱時之水出焉而北流注於泑水實惟帝之平圃南望昆侖其光熊熊其氣魂魂西南四百里曰昆侖之邱是實惟帝之下都河水出焉而南流東注于無達赤水出焉而東南流注于氾天之水洋水出焉而西南流注于醜塗之水黑水出焉而西流注于大杅積石之山其下有石門河水冒以西流

海內西經海內昆侖之墟在西北帝之下都崑崙之墟方八百里高萬仞赤水出東南隅以行其東北西南流注南海厭火東河水出東北隅以行其北西南又入勃海又出海外即西而北入禹所導積石山洋水黑水出西北隅以東東行又東北南入海羽民南弱水青水出西南隅以東又北又西南過畢方鳥東

大荒西經西海之南流沙之濱赤水之後黑水之前有大山名曰昆侖之邱其下有弱水之淵環之其外有炎火之山

爾雅釋水　河曲　郝懿行義疏

河出崐崘虛色白（山海經曰河出崐崘西北隅虛山下基也發源處高激峻湊故水色白也）所渠并千七百一川色黃（潛流地中汩漱）

沙壖所受渠多幷水渦淪宜其濁黃

百里一小曲千里一曲一直公羊傳曰河曲流河千里一曲一直

水經注引春秋說題辭云河之爲言荷也荷精分布懷陰引度也考異郵云河者水之氣四瀆之精也初學記引孝經援神契云河者水之伯上應天漢也又引穆天子傳河與江淮濟三水爲四瀆河曰河宗四瀆之所宗也按爾雅既言四瀆而以九河終焉其意蓋在此也說文云河水出敦煌塞外昆侖山發源注海釋文引郭音義云禹本紀及山海經皆云河出崐崘山漢書曰張騫使西域窮河源其山多玉石而不見崐崘也世人晉以此疑河不出崐崘案山海經曰東望泑澤河水之所潛也其源渾渾泡泡又云敦薨之水注于泑澤出乎崐崘之西北隅實惟河源也西域傳又云河有兩源一出蔥嶺山一出于闐于闐在南山下其河北流與蔥嶺之河合東注鹽澤鹽澤一名蒲昌海去玉門陽關三百餘里輪廣三四百里其水停冬夏不增減皆以爲潛行地下而南出於積石山而爲中國河云然則河出崐崘便潛行地下至蔥嶺及于闐復分流岐出也張騫所見蓋謂此矣其去崐崘里數遠近所未得而詳也泑澤即鹽澤也又引郭璞讚云崐崘三層號曰天柱實惟河源水之靈府故此以上釋文所引皆是古來相傳舊說然於河出崐崘里數遠近難得而詳新唐書吐蕃傳載劉元鼎所經紫山直大羊同國虜曰悶摩黎山即古所謂崐崘也長安五千里而元史地理志釋河源出吐蕃朵甘思西鄙名火敦腦兒譯言星宿海也又言朵甘思東北有大雪山即崐崘不知此乃積石山也康熙乾隆年間兩遣侍衛等河源後乃得之阿勒坦郭勒之西源出星宿海之上三百餘里其崐崘乃在今之回部所以知河出崐崘虛案一統志言西藏有岡底斯山在阿里之達克喇城東北三百十里直陝西西寧府西南五千五百九十餘里乃西域記水經注所謂阿耨達山今名岡底斯山即崐崘也河源記略圖說詳矣近人徐松能言西域地形今採其說曰岡底斯山分爲四幹向西北首爲僧格喀巴布山譯言獅子口也繞阿里西北二千五百餘里又西域爲和闐南山及蔥嶺蔥嶺在今葉爾羌喀什噶爾境和闐南山在今和闐境和闐即古于闐漢書西域傳言河有兩源一出蔥嶺一出于闐其實出蔥嶺者固有南河北河之分與于闐河西三也以今新疆地形驗之城和闐河二源皆出南山東源曰玉隴哈什河西源曰哈喇哈什河二水分流經和闐之東西

河南印刷局印

又北流二百餘里而合爲和闐河是爲河源之一蔥嶺南河者即今葉爾羌河二源東源曰聽雜布河西源曰澤普勒善河二水分東北流至葉爾羌城東南面合爲葉爾羌河是爲河源之二蔥嶺北河者即今喀什噶爾河二源南源曰雅璊雅爾河北源曰烏蘭烏蘇河分東流至喀什噶爾城南面合爲喀什噶爾河是爲河源之三三源分東流至喀巴克阿克集而合爲塔里木河又東流一千四百餘里瀦爲羅布淖爾即古鹽澤亦謂之蒲昌海也諸河水皆澄清無滓惟喀什噶爾河之北源烏蘭烏蘇色赤而濁而東至葉爾羌東北衞阿喇克之地亦清流見底故統謂之色白也

史記

大宛列傳張騫爲天子言之曰于闐之西水皆西流注西海其東水東流注鹽澤鹽澤潛行地下其南則河源出焉多玉石河注中國漢使窮河源河源出于闐其山多玉石采來天子案古圖書名河所出山曰崑崙云

漢書

西域傳南北有大山中央有河其河有兩源一出蔥嶺山一出于闐于闐在南山下其河北流與蔥嶺河合東注蒲昌海蒲昌海一名鹽澤也去玉門陽關三百餘里廣袤三百里其水亭居冬夏不增減皆以爲潛行地下南出於積石爲中國河云

水經注 河水 趙一清釋

崑崙虛在西北去嵩高五萬里地之中也其高萬一千里河水

春秋說題辭曰河之爲言荷也荷精分布懷陰引度也釋名曰河下也隨地下處而通流也考異郵曰河者水之氣四瀆之精也所以流化元命苞曰五行始焉萬物之所由生元氣之腠液也管子曰水者地之血氣筋脈之通流者故曰水其具財也而水最爲大水有大小有遠近水出山而流入海者命曰經水引他水入于大水及海者命曰枝水出於地溝流于大水及於海者又命曰川水也孝經援神契曰河者水之伯上應天漢新論曰四瀆之源河最高而長從高注下水流激峻故其流急風俗通曰江淮河濟爲四瀆瀆通也所以通中國垢濁釋名曰瀆獨也各獨出其所而入海

出其東北陬

山海經曰崑崙墟在西北河水出其東北隅爾雅曰色白所渠幷千七百一川色黃物理論曰河色黃者衆川之流蓋濁之也百里一小曲千里一曲一直矣漢大司馬史張幼功議曰河水濁清澄一石水六斗泥而民競引河溉田令河不通利至三月桃花水至則河決以其噎不洩也禁民勿復引河是黃河兼濁河之名矣述征記曰盟津河恒

濁方江爲狹比淮濟爲闊

屈從其東南流入于渤海又出海外南至積石山下有石門河水冒以西南流河水又南入蔥嶺山其一源出于闐國南山北流與蔥嶺河合東注蒲昌海

河水又東與于闐河合南源道于闐南山逕于闐國西又西北流注于河即經所謂北注蔥嶺河也南河又東逕于闐國北釋氏西域記曰河水東流三千里至于闐屈東北流者也

又東入塞過敦煌酒泉張掖郡南又東過隴西河關縣北洮水從東南來流注之又東過金城允吾縣北又東過榆中縣北又東過天水北界又東北過武威媼圍縣東又東北過天水勇士縣北又東北過安定北界麥田山

河水又北過北地富平縣西又北過朔方臨戎縣西屈從縣北流至河目縣西屈南過五原縣西安陽縣南屈東過九原縣南又東過臨沃縣南又東過雲中楨陵縣南又東過沙南縣北從縣東屈南過沙陵縣西又南過赤城東又南過定襄桐過縣西又南過西河圁陽縣東又南過離石縣西奢延水注之又南過中陽縣西又南過土軍縣西又東過上郡

高奴縣東

河水又南過河東北屈縣西又南過皮氏縣西又南出龍門口汾水從東來注之又南過汾陰縣西又南過蒲坂縣西

又南至華陰潼關渭水從西來注之又東過河北縣南

縣與湖縣分河蓼水出襄山蓼谷西南流注于河河水又東永樂澗水注之水北出于薄山南流逕河北縣故城西又南流入于河按中山經即渠豬之水也河水自河北城南東逕芮城又會槃澗水水出湖縣夸父山北流入于河河水又東逕湖縣故城北湖水又北逕湖縣東而北流入于河河水又東合柏谷水水出宏農縣南石隄山北流入于河河水又東右合門水門水即洛水之枝流者也洛水自上洛縣東北於拒陽城西北分爲二水枝渠東北出爲門水也門水又東北歷陽華之山山海經所謂陽華之山門水出焉者也又東北歷峽謂之鴻關水門水又東北歷邑川二水注之左水出於陽華之陽東北流逕盛牆亭西東北流與右水合右水出陽華之陰東北流逕盛牆亭東東北與左水合即山海經所謂緒姑之水出於陽華之陰東北流注于門水者也又東

北𤃩水注之水有二源左水南出于衙嶺世謂之石城山其水東北流逕石城西東北合右水右水出石城山東北逕石城東東北入左水歷㵎東北出謂之開方口又東北逕邑川城南又東北田渠水注之水出衙山之白石谷東北流逕故郎亭東又逕鹿蹏山西歷田渠川謂之田渠水西北流注于𤃩水𤃩水又北入門水門水又北逕宏農縣故城東側城北流而注于河河水於此有洹津之名俗或謂之偃鄉㵎水也河水又合左右二水其水二源疏引俱導薄山南流會成一川其二水之內世謂之閿原又南注于河河水右會谷水水出南山北逕曹陽亭西西北流入于河河水又東𤁝水注之水出常烝之山西北逕曲沃城南又屈逕其城西西北入河河水又東得七里㵎㵎在陝西七里故因名爲谷水自南山通河亦謂之曹陽坑河水東合譙水水導源常烝之山西北流注于河

又東過陝縣北

槃水出槃山西北流又有干水出南山北谷逕㕒峽北流與干山之水會出干山東谷兩川合注於㕒水又東北注槃水北流出谷謂之㴸奐㵎與安陽溪水合水出石崤南

西逕安陽城南東合漫澗又西逕陝縣故城南又合一水謂之瀆谷水南出近溪北流注槖其水又西北逕陝城西西北入于河河北對茅城東則咸陽澗水注之水出北虞山南至陝津注河

又東過大陽南

交澗水出吳山東南流入河河水又東路澗水亦出吳山東逕大陽城西西南流注中澗水入于河河水又東逕大陽故城南又東沙澗水注之水出虞山東南逕傳巖南流注于河河水又東南左合積石土柱二溪並北發大陽之山南流入于河

又東過砥柱間

砥柱山名也昔禹治洪水山陵當水者鑿之故破山以通河河水分流包山而過山見水中若柱然故曰砥柱三穿既決水流疏分指狀表目亦謂之三門矣蔡氏曰禎多礫云砥柱山之六峰皆生河之中流夏后所鑿其最北有兩柱相對距崖而立即所謂三門也都穆云砥柱在陝州東五十里黃河中循河至三門中曰神門南曰鬼門北曰人門水行其間聲激如雷而鬼門尤爲險惡舟筏一入鮮有得脫三門之廣約二十丈其東百五十步即砥柱崇約三丈周數丈以三門爲砥柱者誤也山在虢城東北大陽城東也河之右則崤水注之水出河南盤崤山西北流歷澗東北流與石崤水合水

河南印刷局印

出石崤山崤水又北左合西水亂流注于河河水又東千崤之水注焉水南導於千崤之山北流注于河

又東過平陰縣北清水從西北來注之

清水出清廉山之西嶺東南流出峽峽左有城清水歷其南東流逕皐落城北與倚亳川水合水出北山礦谷東南注于清清水又東逕清廉城南又東南流右會南溪溪出南山而東注清水又東合乾棗澗水水出石人嶺下南流俗謂之扶蘇水又南歷好苗北馬頭山亦曰白水原西南逕垣縣故城北其水西南流注清水清水又東南逕陽壺城東又東南流注于河河水又東與教水合水出垣縣北教山南逕輔山高三十許里上有泉源不測其深山頂周圍五六里（一清按太平寰宇記東輔山在沁水縣西南九十二里其山及西輔山與析城山相連有相輔之勢又澤縣沁水縣下云害水出西輔山水經云害水出垣曲縣界今本無害水之目蓋缺失矣）山海經曰孟門東南有平山水出于其上潛於其下又是王屋之次疑即平山也水廣一十許步南流歷鼓鍾川分為二澗一澗西北出一百六十許里今聞喜縣東北谷口猶有乾河里故溝存焉今無復有水一水歷冶官西世人謂之鼓鍾城城西阜下有大泉西流注澗與教水合伏入石下

南至下峽山海經曰鼓鍾之山帝臺之所以觴百神即是山也其水重源又發南至西馬頭山東積坡下又伏流南十餘里復出又謂之伏流水南入于河山海經曰教山教水出焉西南流注于河是水冬乾夏流實惟乾河也今世人猶謂之爲乾澗矣河水又與畛水合水出新安縣青要山今謂之彊山山海經曰青要之山畛水出焉北流注于河即是水也河水又東正回之水入焉水出騩山彊山東阜也東流俗謂之彊川水與石瓜隯川合水出西北石澗中東南流注于彊川水彊川水又東逕彊冶鐵官東東北流注于河河水又東合庸庸之水水出河東垣縣宜蘇山俗謂之長泉水山海經曰水多黃貝伊洛門也其水北流分爲二水一水北入河一水又東北流注于河河水又東逕平陰縣北右會湨水水出垣縣王屋西北湨溪夾山東南流逕故城東即湨關也湨水西屈逕關城南歷軹關南逕苗亭西又東流注于河經書清水非也是乃湨水耳

又東至鄧湛水從北來注之

河水又東逕河陽縣故城南又逕臨平亭北又東逕洛陽縣北又東逕平縣故城北南對首陽山河南有鉤陳壘世傳武王伐紂八百諸侯所會處河水至斯有盟津之目故

河南印刷局印

曰孟津亦曰盟津尚書所謂東至于孟津者也又曰富平津又謂之曰陶河河水又東

淇水入焉（余氏曰竊疑是湨梁之湨水而譌爲淇字蓋湨水正流入河支流入濟適當温縣之地）

又東過鞏縣北

河水於此有五社渡爲五社津縣北有山臨河謂之崟原邱其下有穴謂之鞏穴言潛通淮浦北達於河直穴有渚謂之鮪渚

洛水從縣西北流注之

洛水於鞏縣東逕洛汭北對琅邪渚入於河謂之洛口矣自縣西來而北流注河

又東過成皋縣北濟水從北水注之

河水自洛口又東左逕平皋縣南又東逕懷縣南濟水故道之所入與成皋分河河水又逕黃馬坂北又東逕旋門坂北今成皋西大坂者也河水東逕成皋大伾山下尚書禹貢曰過洛汭至大伾者也鄭康成曰地喉也沇出伾際矣然則大伾在河內修武武德之界泲沇之水與滎播澤出入自此然則大伾即是山矣伾北即經所謂濟水從北來注之者也今泲水自溫縣入河不于此也所入者奉濟水耳即泲沇之故瀆矣河水

南對玉門又東合汜水水南出浮戲山世謂之曰方山也北流東關水出於嵩渚之山也泉發于層阜之上一源兩枝分流瀉注世謂之石泉水也東流爲索水西注爲東關水西北流楊蘭水注之水出非山西北流注于東關水又西北清水入焉水自東浦西流與東關水合而亂流注于汜汜水又北右合石城水水出石城山又東北流注于汜水汜水下北合鄤水水西出婁山東北流逕出鄤谷謂之田鄤溪水東南流注于汜水汜水又北逕虎牢城東又北流注于河河水又東逕板城北有津謂之板城渚口河水又東逕五龍塢北臨長河

又東過滎陽縣北蒗蕩渠出焉

大禹塞滎澤開之以通淮泗即經所謂蒗蕩渠也全氏曰以滎澤爲禹所塞善長之謬極矣一清按禹貢豫州云滎波旣豬禹陂水爲澤故道元濟水注云大禹塞其淫水則指旣豬而言此言禹塞滎澤辭不達意未爲大非惟云開之以通淮泗則指鴻溝爲禹迹乃其謬耳漢平帝之世河汴決壞未及得修汴渠東侵日月彌廣水門故處皆在河中漢明帝永平十二年議治汴渠上乃引樂浪人王景問理水形便景陳利害應對敏捷帝甚善之乃賜山海經河渠書禹貢圖及以錢帛後作隄發卒數十萬詔景與將作謁者王吳共築隄防

河南印刷局印

修堨起自滎陽東至千乘海口千有餘里景乃商度地勢鑿山開澗防遏衝要疏決壅積十里一水門更相洄注無復潰漏之患明年渠成帝親巡行詔濱河郡國置河隄員吏如西京舊制景由是顯名王吳及諸從事者皆增秩一等順帝陽嘉中又自汴口以東緣河積石爲堰通古渠口咸曰金隄靈帝建寧中又增修石門以遏渠口水盛則通注津耗則輟流河水又東北逕卷之扈亭北又東逕八激隄北漢安帝永初七年令謁者太山于岑於石門東積石八所皆如小山以捍衝波謂之八激隄河水又東逕卷縣北又東北逕赤岸固北東北而注之

又東北過武德縣東沁水從西來注之

河水自武德縣東至酸棗縣西濮水東出焉又東北通謂之延津是爲靈昌津河水又逕東燕縣故城北則有濟水自北來注之於是有棘津之名亦謂之石濟津故南津也河水又東淇水入焉又東逕遮害亭南漢書溝洫志曰在淇水口東十八里有金隄隄高一丈自淇口東地稍下隄稍高至遮害亭高四五丈又有宿胥口舊河水北入處也河水又東右逕滑臺城北即鄭廩延邑也下有延津今時人謂此津爲延壽津

又東北過黎陽縣南

晉灼曰黎山在其南河水逕其東今黎山之東北故城蓋黎陽縣之故也城內有故臺謂之鹿鳴臺又謂之鹿鳴城亦曰鹿鳴津又曰白馬濟津之東南有白馬城河水舊於白馬縣南泆通濮濟黃溝東逕鹿鳴城南又東北逕白馬縣之涼城北白馬瀆又東南逕濮陽縣散入濮水所在決會更相通注以成往復也河水自津東北逕涼城縣又東北逕伍子胥廟南又東北爲長壽津

河之故瀆出焉禹貢錐指曰按水經東漢人所撰凡稱故瀆者皆時已無水咸據以下東光以上河水不至又無他水行其中者蓋所云王莽時空者唯此耳故謂之大河故瀆其自長壽津以西至宿胥口爲東漢見行之河則敘入河水東光以北至章武爲清河濟水之所行則敘入清河濟水並不列大河故瀆

漢書溝洫志曰河之爲中國害尤甚故導河自積石歷龍門釃二渠以引河一則漯川今所流也一則北瀆王莽時空故世俗名是瀆爲王莽河也故瀆東北逕戚城西又逕繁陽縣故城東北逕陰安縣故城西又東北逕樂昌縣故城東又東北逕頻邑郭西又東北逕元城縣故城西北而至沙邱堰不遵其道曰降亦曰潰堰障水也至于大陸北播爲九河禹貢兗州九河既導謂徒駭太史馬頰覆釜胡蘇簡潔句盤鬲津也同爲逆

河南印刷局印

河鄭元曰下尾合曰逆河言相承授爲漢世河決金隄南北離其害議者常欲求九河故蹟而穿之未知其所是以班固云自茲距漢北亡八枝者也

河之故瀆自沙邱堰南分屯氏河出焉又東北右過衛縣南又東北過濮陽縣北瓠子河出焉

河水東逕鐵邱南河南有龍淵宮武帝元光中河決濮陽氾郡十六發卒十萬人塞決河起龍淵宮蓋武帝起宮於決河之傍龍淵之側故曰龍淵宮也河水東北流而逕濮陽縣北爲濮陽津城北十里有瓠河口有金隄宣房堰又東北逕衛國縣南東爲郭口津又東逕鄄城縣北河之南岸有新城北岸有新臺爲廬關津又東北逕范縣之秦亭西又東北逕委粟津大河之北即東武陽也

左會浮水故瀆

故瀆上承大河於頓邱縣而北出東逕繁陽縣故城南應劭曰縣在繁水之陽春秋襄公二十年經書公與晉侯齊侯盟於澶淵杜預曰在頓邱縣南今名繁淵澶淵即繁淵也亦謂之浮水焉故瀆東絕大河東逕五鹿之野又東南逕衛國邑城北又東逕衛國

縣故城南又東逕河牧城而東北出又東北入東武陽縣東入河

又有漯水出焉又東北過東阿縣北又東北過茌平縣西又東北過高唐縣東又東北過楊虛縣東商河出焉又東北過漯陽縣北又東北過利縣北又東北過甲下邑濟水從西來注之又東北入于海

河南印刷局印

通典　杜佑

按水經云崑崙虛在西北去嵩高五萬里地之中也其高一千里河水出其東北陬屈從其東南流入于渤海又出海外南至積石山下有石門又南入蔥嶺山又從蔥嶺出而東北流其一源出于闐國南山北流與蔥嶺所出河合又東注蒲昌海又東入塞過敦煌酒泉張掖郡南又東過隴西河關縣北按水經晉郭璞注三卷後魏酈道元注四十卷皆不著所撰者名氏亦不知何代之書佑謂二子博贍解釋固應精當詳水經所作殊爲詭誕全無憑據水經所云河出崑崙山者宜出於禹本紀山海經所云南入蔥嶺及出于闐南山者出於漢書西域傳而酈道元都不詳正所注河之發源亦引禹紀山經釋法明遊天竺記釋氏西域記所注南入蔥嶺一源出于闐南山合流入蒲昌海雖約漢書亦不尋究又水經云出海外南至積石山下有石門然後南流入蔥嶺據此則積石山當在蔥嶺之北又云入塞過敦煌酒泉張掖郡南並今郡地也夫山水地形固有定體自蔥嶺于闐之東敦煌張掖之間華人往來非少從後漢至大唐圖籍相承注記不絕大磧亘數千里未聞

河南印刷局印

有桑田碧海之變陵遷谷移之談此處豈有河流纂集者不詳斯甚又按禹導河積石者堯時洪水下民昏墊禹所開決本數人思積石之西砂鹵之地河流小地勢復高不爲人思不惡疏鑿以此施功發跡自積石山而東則今西平郡龍支縣界山是也固無禹理水之功自葱嶺之北其本紀灼然荒唐撰經者取爲準的班固云言九州山川者尚書近之矣誠爲恢當其後漢書西域傳云河水一源出葱嶺一源出于闐合流東注蒲昌海皆以潛流地下南出積石爲中國河云比禹紀山經猶較附近終是紕繆按此宜惟憑張騫使大夏見兩道水從葱嶺于闐合流入蒲昌海其于闐出美玉所以騫傳遂云窮河源也按古圖書名河所出曰崑崙山疑所謂古圖書即禹本紀以于闐山出玉乃謂之崑崙即所出便云是河也窮究諸說悉皆繆誤孟堅又云禹貢云導河自積石遂疑潛流從此方出且漢時羣羌種類雖多不相統一未爲強國漢家或未嘗遣使詣西南羌中或未知自有河也寧有吐蕃中河從西南數千里向東北流見與積石山下河相連聘使涉歷無不言之吐蕃自云崑崙山在國中西南則河之所出也又按尚書云織皮崑崙析支渠叟西戎即敘又范氏後漢書西羌在漢金城郡之西南濱于賜支續漢書曰河關西千餘里河曲

羌謂之賜支蓋析支也然則析支在積石之西是河之上流明矣崑崙在吐蕃中當亦非繆佪不謂河之本源乃引蔥嶺于闐之河謂之蒲昌海伏流數千里至積石方出斯又班生之所未詳也佑以水經僻書代人多不知覩或有好事者於諸書中見有引據謂其審正此殊未之精也不揆淺昧考諸家之說辨千古訛舛是故曲析言之胡渭禹貢錐指曰按水經敍西域兩源較漢書尤爲明備且是積石一山錯簡在渤海之下遂來後人之彈射幷其全經而疑之而不知此非本文乃庸妄人之所竄易也彼見山海經云河水出渤海西北入積石山遂以此經海、外之海爲渤海殊不知泑澤之亦名蒲昌海也彼見此經云河水東入塞過敦煌酒泉張掖郡南遂謂積石距敦煌遂遠而泑澤最近故移積石於渤海之下使入泑澤與敦煌相接殊不思三郡界中廣無河也蓋漢世河關以西皆爲羌中地河水所經人莫能說故聊假二郡之南以表之非其謂河自鹽澤入玉門陽關也杜佑不察此意而以爲纂集之不詳固宜矣若夫道元之注惟渤海以上引釋氏怪誕之說甚覺無謂至蔥嶺山以下發明頗多其所言崑崙墟也曰浚見未聞非可詳究其言積石也曰宜在蒲昌海下其言蔥嶺河也曰河源潛發分爲二水其言蒲昌海也曰洄流沿轉爲隱淪之派正其經而袖其兩亦可當精審之至矣杜佑誣水經并誣道元豈通論哉又曰此渤海當在蔥嶺西蕃外凡大澤謂之海渤海即蒲昌當焉半闕之類非眞海也又出海外二十字鄙意以此爲錯簡蓋以下文南入蔥嶺觀之則積石反在蔥嶺之北必無是理也今移在後又東注于泑澤之下則自崑崙而蔥嶺而蒲昌而積石原委秩然方位悉當矣　趙一清水經注釋曰通典爲世人所皆信其識水經以爲纂集之不詳其摘酈注云都不詳正又云亦不考究是於本書尚未通覽僅據酈數言以逞其私說而其所指積石乃是隋置河源郡唐置積石軍之地據以詭支之積石當禹貢之積石曾不悉在塞外西南羌者大積石也在枹罕西北者小積石也地理志括地志之文可覆按也

唐書

吐谷渾傳太宗時其王慕容伏允數入寇貞觀九年詔李靖侯君集任城王道宗等率兵擊之道宗破伏允於庫山俘斬四百伏允西走靖等分軍追之又數破之君集道宗行空荒二千里閱月次星宿川達柏海上望積石山覽觀河源舊唐書吐谷渾傳侯君集與江夏王道宗趣南路登漢哭山飲馬烏海經途二千餘里空虛之地又達於柏海北望積石山觀河源之所出焉李靖傳軍次伏俟城吐谷渾退保天非谷靖深入敵境遂踰積石山侯君集傳君集道宗歷破邏眞谷踰漢哭山轉戰過星宿川至於柏海北望積石山觀河源之所出乃旋師與李靖會于大非川平吐谷渾而還

吐蕃傳穆宗長慶元年以大理卿劉元鼎爲吐蕃會盟使使還踰湟水至龍泉谷西北望殺胡川哥舒翰故壁多在湟水至蒙谷抵龍泉與河合河之上流由洪濟梁西南行二千里水益狹春可涉秋夏乃勝舟其南三百里三山中高而四下曰紫山直大羊同國古所謂崑崙者也虜曰悶摩黎山東距長安五千里河源其間流澄緩下稍合衆流色赤行益遠它水并注則濁故舉世謂西戎地曰河湟河源東北直莫賀延磧尾殆五百里磧廣五

十里北自沙州西南入吐谷渾寖狹故號磧尾隱測其地蓋劍南之西元鼎所經見大畧如此

元史地理志河源附錄

河源古無所見禹貢導河止自積石漢使張騫持節道西域度玉門見二水交流發葱嶺趨于闐匯鹽澤伏流千里至積石而再出唐薛元鼎使吐蕃訪河源得之於穆穆哩山然皆歷歲月涉艱難而其所得不過如此世之論河源者又皆推本二家其說怪迂總其實皆非本真意者漢唐之時外夷未盡臣服而道未盡通故其所往每迂迴艱阻不能直抵其處而究其極也元有天下薄海內外人迹所及皆置驛傳使騎往來如行國中至元十七年命都實爲招討使佩金虎符往求河源都實既受命是歲至河州州之東六十里有寧河驛驛西南六十里有山曰殺馬關林麓穹隘舉足寖高行一日至巔西去愈高四閱月始抵河源是冬還報并圖其城傳位置以聞其後翰林學士潘昂霄從都實之弟庫庫楚得其說撰爲河源志臨川朱思本又從巴爾濟蘇家得帝師所藏梵字圖書而以華文譯之與昂霄所志互有詳略今取二家之書考定其說有不同者附注於下按河源在土蕃

河南印刷局印

朶甘斯西鄙有泉百餘泓沮洳散渙弗可逼視方可七八十里履高山下瞰燦若列星以故名鄂端諾爾原作火敦腦兒鄂端譯言星宿也思本曰河源在中州西南直四川馬湖蠻部之正西三千餘里雲南麗江宣撫司之西北一千五百餘里帝師撒斯加地之西南二千餘里水從地涌出如井其井百餘東北流百餘里匯爲大澤曰鄂端諾爾羣流奔輳近五七里匯二巨澤名阿剌諾爾自西而東連屬吞噬行一日迤邐東騖成川號齊必勒河又二三日水西南來名伊爾齊與齊必勒河合又三四日水南來名呼蘭又水東南來名伊拉齊合流入齊必勒其流寖大始名黄河然水猶清人可涉又一二日歧爲八九股名伊遜鄂羅木譯言九渡通廣五七里可度馬又四五日水渾濁土人抱革囊騎過之聚落糾木幹象舟傅髦革以濟僅容兩人自是兩山峽束廣可一里二里或半里其深叵測朶甘斯東北有大雪山名伊拉瑪博囉其山最高譯言騰格哩哈達即崑崙也山腹至頂皆雪冬夏不消土言遠年成冰時六月見之自八九股水至崑崙行二十日思本曰自渾水東北流二百餘里與和囉海圖河合和囉海圖河源自南山水正北偏西流八百餘里與黄河合又東北流一百餘里過瑪拉瑪地又正北流二百餘里乃折而西北流二百餘里又折而正北流一百餘里又折而東流逕崑崙山下番名伊拉瑪博囉其山高峻非常山麓綿亘五百餘里河隨山足東流過陸斯嘉庫濟克特地河行崑崙南半日又四五日至地名庫濟及克特二地相屬又三日地名哈喇伯勒齊爾四達之衢也多寇盜有官兵鎮之近北二

日河水過之思本曰河過克特與伊實巴薩沁河源自鐵豹嶺之北正北流凡五百餘里而與黃河合崑崙以西人簡少多處山南山皆不穹峻水亦散漫獸有髦牛野馬狼狍羱羊之類其東山益高地亦漸下岸狹隘有狐可一躍而越之處行五六日有水西南來名納琳哈喇譯言細黃河也思本曰哈喇河自白狗嶺之北水西北流五百餘里與黃河合又兩日水南來名奇爾穆蘇二水合流入河思本曰自哈喇河與黃河合正北流二百餘里過鄂勒博站折而西北流經崑崙之北二百餘里與奇爾穆蘇河合奇爾穆蘇河源自威茂州之西北岷山之北水北流即古當州境正北流四百餘里折而西北流又五百餘里與黃河合河水北行轉西流過崑崙北一向東北流約行半月至奎騰原作貴德州地名必齊勒始有州治官府州隸吐蕃等處宣慰司司治河州又四五日至積石州即禹貢積石五日至河州安鄉關一日至打羅坑東北行一日洮河水南來入河思本曰自奇爾穆蘇河與黃河合又西北流與彭贊河合彭贊河源自彭贊山之西北水正西流七百餘里過札薩克遜實地與黃河合折而西北流三百餘里又折而東北流過西寧州貴德州馬嶺凡八百餘里與邈水合邈水源自青唐宿軍谷正東流五百餘里過阿勒巴站與黃河合又東北流過土橋站古積石州來羌城廓州果密站界凌城凡五百餘里過河州與貢彭河合貢彭河源自西傾山之北水東北流凡五百餘里與黃河合又東北流一百餘里過塔布城銀川站與湟水浩亹河合湟水源自祁連山下正東流一千餘里注浩亹河浩亹河源自刪丹州之南刪丹山下水東南流七百餘里注湟水然後與黃河合又東北流一百餘里與洮河合洮河源自揭薩嶺北東北流過臨洮府凡八百餘里與黃河合又一日至蘭州過北卜渡至鳴沙河過應吉里州正東行至寧夏府南東行即東勝州隸大同路自發源至漢地南北

淵溪細流傍貫莫知紀極山皆草石至積石方林木暢茂世言河九折彼地有二折蓋乞闊移蘇及奎騰必齊勒也思本曰自洮水與河合又東北流過達勒達地凡八百餘里過豐州西受降城折而正東流過達勒達地古天德軍中受降城東受降城凡七百餘里折而正南流過大同路雲內州東勝州與黑河合黑河源自漁陽嶺之南水正西流凡五百餘里與黃河合又正南流過保德州葭州及興州境又隔州凡一千餘里與察納河合察納河源自古宥州東南流過陝西省綏德州凡七百餘里與黃河合又南流三百里與延安河合延安河源自陝西蘆子關亂山中南流三百餘里過延安府折而正東流三百里與黃河合又南流三百里與汾河合汾河源自河東朔武州之南亂山中西南流過管州冀寧路汾州霍州晉寧路絳州又西流至龍門凡一千二百餘里始與黃河合又南流二百里過河中府過潼關與太華大山綿亘水勢不可復南乃折而東流大概河源東北流所歷皆西番地至蘭州凡四千五百餘里始入中國又東北流過達達地凡二千五百餘里始入河東境內又南流至河中凡一千八百餘里通計九千餘里

東華錄

康熙四十三年侍衛拉錫等探視河源奏星宿海之東有澤名鄂陵周圍一百餘里鄂陵西又有澤名札陵周圍三百餘里鄂陵之西札陵之東相隔三十里星宿海蒙古名鄂敦搭拉登山之至高者視之星宿海之源小泉萬億不可勝數周圍群山蒙古名爲庫爾滾即崑崙也南有山名古爾班吐爾哈西南有山名布胡珠爾黑西有山名巴爾布哈北有山名阿克塔因七奇東北有山名烏蘭杜石古爾班吐爾哈山下諸泉西番國名爲噶爾

馬塘巴爾布哈山下諸泉名爲噶爾馬春稷朗阿克塔因七奇山下諸泉名爲噶爾馬沁尼三山之泉流出三支河即古爾班索羅謨也三河東流入札陵澤自札陵澤一支入鄂陵澤自鄂陵流出乃黃河也除此他山之泉與平地之泉流爲小河者不可勝數悉歸黃河東下自星宿海回程向東南行二日登哈爾吉山見黃河東流至呼呼托羅海山又南流繞撒除克山之南又北流至巴爾托羅海山之南次日至冰山之西其山最高雲霧蔽之蒙古言此山長三百餘里有九高峰自古至今未見冰消自此回行十六日至席拉庫特爾之地又向南行過僧庫里高嶺行百餘里至黃河岸見黃河自巴爾托羅海山向東北流於歸德堡之北逹喀山之前從兩山峽中流入蘭州自京至星宿海共七千六百餘里舒蘭河源記大畧相同惟稱鄂陵爾圖二百餘里而稱列布胡珠爾黑山烏闌杜石山噶爾馬塘泉噶爾馬春稷朗泉噶爾馬沁尼泉

乾隆四十七年七月諭今年春間因豫省青龍岡漫口合龍未就遣大學士阿桂之子乾清門侍衛阿彌達前往青海務窮河源告祭河神事竣復命並據按定南鍼繪圖具說呈覽據奏星宿海西南有一河名阿勒坦郭勒蒙古語阿勒坦即黃金郭勒即河也此河實係黃河上源其水色黃回旋三百餘里穿入星宿海自此合流至貴德堡水色全黃始名

河南印刷局印

黃河又阿勒坦郭勒之西有巨石高數丈名阿勒坦噶達素齊老蒙古語噶達素北極星也齊老石也其崖壁黃赤色壁上爲天池池中流泉噴涌釃爲百道皆作金色入阿勒坦郭勒則眞黃河之上源也其所奏河源頗爲明晰從前康熙四十三年侍衛拉錫等往窮河源其時伊等但窮至星宿海即指爲河源而未窮至阿勒坦郭勒之黃水尤未窮至阿勒坦噶達素齊老之眞源是以幾暇格物編星宿海一條亦但就拉錫等所奏以鄂敦他臘爲河源也又漢書河出昆侖之語考之於今昆侖當在回部中回部諸水皆東注蒲昌海即鹽澤也鹽澤之水入地伏流至青海始出而大河之水獨黃非昆侖之水伏地至此出而挾星宿海諸水爲河瀆而何宋史河渠志有云河繞昆侖之南折而東復繞昆侖之北夫昆侖大山也河安能繞其南又繞其北此不待辨而知其謬且昆侖在回部離此萬里誰能移此爲青海之河源又康熙年間拉錫所具圖於貴德之西有三支河名昆都倫乃悟昆都倫者蒙古語謂横也横即支河之謂此元時舊名謂有三横河入於河蓋蒙古以横爲昆都倫即回部所謂昆侖山者亦係横嶺而修書者不解其故遂牽青海之昆都倫河爲回部之昆侖山耳漢武帝所云昆侖爲河源本不誤特未詳伏流而出青海之阿

勒坦噶達索而經星宿海爲河源耳至元世祖時遣使窮河源亦但言至青海之星宿海見見泉百餘泓便指謂河源而不言其上有阿勒坦噶達素之黄水又上有蒲昌海之伏流則仍屬得半而止朕從前爲熱河考即言河源自葱嶺以之東和闐葉爾羌諸水瀦爲蒲昌海即鹽澤蒙古語謂之羅布諾爾伏流地中復出爲星宿海云云今覆閲史記漢書所記河源爲之究極原委所有兩漢迄今自正史以及各家河源辨證諸書允宜通行校閲訂是正爲編輯河源紀畧一書著四庫館總裁督同總纂等悉心纂辦頒布刊刻以昭傳信

河南通志

河南省黄河道南岸自陝西潼關通志云潼關衛在西安府華陰縣東北四十里南有潼谷潼水出此東北有黄巷坂在黄河南岸其坂隆起下望關城北有黄河自華陰縣流入與山西蒲州接界東入河南閿鄉縣界衛志城北一里水中有石高出丈餘河水漲其石不沒亦謂之砥柱石西有潼關水源出潼谷入河入閿鄉縣境經靈寶陝州澠池新安孟津鞏縣通志云閿鄉在河南府陝州西南一百二十里西南有閿山西爲黄河自陝西華陰界流入與山西芮城縣分界東入靈寶縣界西有玉澗水全鳩水郎水東有盤澗水西南有阿對泉山靈寶在陝州西稍南六十里東南有峴山曹陽水出此入河西南有石隄山柏谷水出此入河又有石暢山暢水出此入河又有門水自洛南縣流入亦名宏農澗又有豐鑒等五十渠引山水灌田陝州在河南府西三百里東北有砥柱山在黄河中去州四

河南印刷局印

十里即禹貢所謂砥柱也又有公主河在三門山左唐開元中鑿此通漕以避三門之險約百丈許復入於河西有七里澗自南山入河西南有潞水東有滑水自永寧流入北入於河又有利人渠二廣濟渠一引水入城以代井汲今堙　澠池在河南府西一百六十里東北有涯池山澗水出焉西南有馬頭山谷水出焉北有黃河按志黃河自三門集津下流釣魚嘴奔流迅急舟筏難渡　新安在河南府西七十里東南有瞻諸山慈澗水出焉匯諸川水入穀南有密山豪水出焉注洛西南有郁山穀谷水出焉入穀西北有隊山長垣河出焉又有路山固水出焉東北有邙山馬陵川出焉　孟津在河南府東北四十五里兩岸不闊河勢漸壅潰決之患從此而始唐時築石隄當河陽小津兩縣岸高五丈闕如之延六七十里今南岸止有二三里北岸盡決　鞏縣在河南府東北一百二十里南有塞戰山下臨玉仙河又有鯢石山下有五泉入洛

東至汜水

河陰至滎澤縣而始有隄工

舊志云汜水在鄭州西一百四十里東南有方山即山海經浮戲之山也汜水出焉有馬跑泉溪家泉柏池泉有玉仙山山上有玉仙元君祠祠前有二泉一為小龍池即小里河源一為寶龍池即汜水源西有大伾山山之東麓就玉門山乃汜水入河處又有廣武山沿河六十里　河陰在鄭州西北五十里北為武濟山傳有武王濟河處宋元豐中范子淵議導洛通汴廢諸於武濟山北麓修隄壘埽是也　滎澤在鄭州北少西四十里有敖山殷仲丁自亳徙囂即此黃河舊在縣北十里漸南徙遶近城明宏治時徐恪言自孫家渡口鑿河碳之歷朱仙鎮由泗入淮可殺上流之勢成化十五年以水患徙縣今縣東北有賈魯渠西通河洛南達江淮附通濟渠也今堙南有賈魯河亦堙西南有灘然河達於大河

自此而鄭州原武陽武中牟祥符陳留蘭陽儀封

舊志云鄭州在開封府西少南一百四十里北為黃河東有鄭水出梅山東北入賈魯河西有須水正德時鑿之以紓河患東南有七里河其源有三一出泰山一出梅山一出站馬屯會流於此入賈魯河東有湖河出樊巴溝下合賈魯河東有龍池湖周三里　原武在開封府西北一百二十里縣舊在河之南明正統十三年河決滎澤南徙始在河之北南有古濟水與古陰溝水今皆湮入黃河西北有沁河自武陟縣東入黃河　陽武縣在開封西北九十里東有脾沙岡西有黑洋山河北決後皆淪於河南為黃河東南有白溝亦名清水亦名白河流至封邱境內曰留滿西有沁水自武陟縣流入後築堤截入黃河其故渠皆為桑田　中牟在開封府西七十里北有牟山南有馬陵岡長五十餘里即故河

隄北有汴水即蒗蕩渠也亦名鴻溝亦名官渡水明正統七年故流入黃河遂淤為平地南有汜水東流入官渡今涸東南有刁馬河今堙又有雙洎河名小清河即鄭風所咏溱人在旁者源出新鄭縣至鄭西東北流入丈八溝縣志載九溝八澤三十六陂　祥符縣即開封府治西北有陀牟岡河決後今為平陸東北有赤岡西有狼城岡東北有槐疙疸岡明萬歷中河決於此西北有黑岡明崇禎中河決於此南有汴河即蒗蕩渠分流也隋自大梁城西南鑿渠引汴水即此元至元二十七年始淤明初欲以大梁為北京議浚之不果宋都汴時引汴蔡諸水漕舟城中溝渠互通自明季灌城壞俱為平陸西有金水河即滎陽之京水隱入五丈河者今堙東北有防隄一名汴隄今遺跡尚存　陳留在開封府東少南五十里北有黃河自祥符流入入蘭陽縣界北有汴河自祥符流入入杞縣界又有蔡河自祥符流入入通許縣界即沙河今涸北有睢水沙水分流開通濟渠今堙東北有巴河一名沁水今涸縣北有秦陳留故城東北魏小黃故城　蘭陽在開封府東少北九十里北有黃河又有賈魯河又有馬跡河一名濟河南有巴河亦名沁河北有古濟水今人於河西北有趙皮寨一名張撈口又有銅瓦廂集　儀封在開封府東少北一百一十里東北有黃陵岡北有青龍岡又北有黃河縣有七河曰北舊黃河南舊黃河賈魯河臨家河閻頭河巴河新河舊黃河轉徙所經忽南忽北今賈魯河巴河故道堙餘河故在

經考城商邱虞城

舊志云考城在睢州北九十里北有黃河自古為沖決之所北有賈魯河又有沁河南有沙河汴河西南有鐵陂黃水注焉　商邱即歸德府治北有黃河元至大二年河決而南府治在河北至順以後河決斷北府治仍在河南明正統河決而南府治又在北正統以後仍在河南其新集口丁家道口皆河之險要　虞城在歸德府東北七十里北有黃河其地上接考城下接碭山縣比數縣土皆卑下每經河溢互相傾注河決考碭則土聚虞城河潰虞城則土聚考碭故裁道壅堙水患無已欲浚支河則易淤塞欲築隄則無山陵可倚潛於李景高口兩岸淡水南行縣境之流自殺又自楊厚口起築隄分水使下流有歸然後河不為患北有汴水亦名獲水西有孟諸澤今俗呼為涸蓋西有丁家道口北有濉家道口皆黃河要地

至江南徐州之碭山縣界出河南境　北岸自山西垣曲縣

垣曲在山西絳州東南二百一十里東北有王屋山西接河南濟源縣及陽城界

西北有黃河自平陸縣流入

入濟源縣境經孟縣溫縣武陟

舊志云濟源在懷慶府西七十里東北有太行山南有黃河北有濟瀆東南流入孟

河南印刷局印

縣禹貢導沇水東流為濟西南有溴水東歷孟縣入河新志溴水一出姑嫽山一出五指山一出柰嶺山至三河口合流與溫水合東南入孟縣界入河北有一流水源出莽山入溴西南有漫流水逕濟水入溴東南有天漿水圖水俱孟縣界西南有湨水注河西有漭水入沁北有沁水自陽城流入東入河內界東有千倉渠濟水分流也　孟縣在懷慶府南少西五十五里南有黃河自濟源流入與孟津縣接界河廣二里南有孟津一名陶渚西南有冶坂津北有沇水即濟水也北有湨水南合流入河西有河陽廢縣南有下孟州城即古北中城也金大定中以河患因於故城北十五里徙治焉曰上孟州故城曰下孟州東魏又築南城在今孟津縣界及中潬城在今縣西南是為三城　溫縣在懷慶府東南五十里今逕近城西有濟水南入河北有廣濟河沁水分流也又有溫潤渠隋刺史盧賁引沁為利人河又派流入溫縣故名溫潤有豐利河分流廣濟河水入溫即此北有勞水遶豐稔河東有平泉多菱荇蒲葦　武陟在懷慶府東一百里南有清風嶺瀬河東有沁水自河內縣至南賈村入河其支流入縣北東引灌田二千餘頃西南有廣濟河沁水分流也今涸西北有小丹河即丹水分流之長明溝也今淤又有上清河即沁水分流之蔡溝也自河內縣流入東入修武之三橋陂入衛東北有遶花池在沁河東岸地名木欒店去衛河百里明萬歷中沁河從此決入衛

亦至滎澤縣而始有隄工自此而歷武陽武封邱

脊蕞云封邱在開封府北六十里北有黑洋山東北有淳于岡皆堤于水南有黃河本在縣西北金明昌五年河決陽武灌封邱而東縣遂居河之北終明之世凡五決荊隆口一決陳橋順治七年九年兩決至十二年始塞按黃河自陽武入封邱出荊隆口直東至長垣東明滑縣境從此經曹濮直趨大清河東入於海較之出徐淮合淮泗以入海其道最為徑易從來河行之道宜且不宜紆入海之口宜近不宜遠也西北有沁水一名巴河自武陟陽武流入經于家店北繞縣南穿桃陂河東注每泛濫則能為害自懷慶增隄遏之水始奈為南有獾溝自陽武境入即自滿也今堤西南有賈池東西廣三里南有金龍口即荊隆口自砥柱孟津而下故為險隘今難河稍遠然地方窪下夏秋水發一隄之外皆為巨浸西南有中灘城元時運道中梗受汴流之來淤遂赴淇仍以舟載送京師後改為海運其西為大王廟口順治九年河決於此決口有積水深汪洋數十頃深十餘丈今縣治本封邱故城金時以河淹沒遷治新城元時新城又為河嚙仍遷故城西有叢家隄防禦黑洋山水

歷祥符陳留蘭陽儀封以至山東曹縣界出河

南境

皇朝通志

黃河源出崑崙山在今回部極西境有三源一爲喀什噶爾河出喀什噶爾城極西之哈喇庫勒迤北兩水合流南注東會支河經城東流計千餘里一爲葉爾羌河出葉爾羌城西南山內紆折出分流經城左右復合亦千餘里會喀什噶爾河一爲和闐河出南山二源分流名玉隴哈什河哈喇哈什河夾額里齊城而北合流數百里與喀什噶爾河葉爾羌河會東流有阿克蘇河源出北山名托什干河經烏什城北迤南至阿克蘇城南又南流來會遂名塔里木河東流有木素爾河源出北山西南流又東過拜城又東過賽喇木城合庫車之赫色勒河過沙爾雅城北來會又東流有海都河源出北山之裕勒都斯經哈喇沙爾城西匯爲博斯騰淖爾自淖爾流出經庫隴勒境來會又東會於羅布淖爾而伏即古所謂鹽澤蒲昌海也河水伏流千餘里東南有孔道斜直青海之西境重發於巴顏喀喇山噶達素齊老之上涌爲天池水色獨黃流爲阿勒坦河百餘里入於鄂郭淖爾即元史所謂星宿海也東南流出注於札楞淖爾又東南注於鄂楞淖爾又折東南流始

河南印刷局印

名黃河又東南流經阿木奈瑪勒占木遜山之南亦名大雪山即禹貢導河之積石也其南有三昆都倫河一曰得持昆都倫一曰多木達昆都倫一曰道喇昆都倫三河先後來注之折而轉西北流繞大雪山之北又折東流經庫庫淖爾之南庫庫淖爾即青海也有哈克圖河魁屯西里河碩爾渾河來會又東北入甘肅河州歸德所邊有青海南境諸水來會過小積石山經蘭州府西有大夏河即古灕水來會又東有洮河來會又東有湟水來會又東有莊浪河來會又東循長城金縣境有浩尾河來會又北有會寧安定二縣水來會出長城又東南流入折東北有清水河自固原州來會又經靈州北東北經寧夏府境又東北出邊經河套鄂爾多斯部地分流復合折東南經烏喇特部境又東南有黑河自歸化城境來會南流入山西平魯縣邊界自此而南出河套東岸爲山西境西岸爲陝西境經河曲縣西府谷縣東又經保德州東岢嵐州西又經神木縣東興縣西有蔚汾水自嵐縣經興縣來會又經葭州東臨縣西過孟門鎮又經永寧州西吳堡縣東有白泉河即古離石水自永寧州合寧鄉縣諸水來會折西南經清澗縣東有榆林水合米脂縣綏德州諸水及奢延州諸水來會又經石樓縣西延川縣東又經永和縣西延長縣東有延

水自延安府來會又南經大寧縣西有昕州合隰州蒲縣大寧縣諸水來會又南經宜川縣東吉州西其南爲壺口山又南有汾川水合銀川丹陽諸水來會又東南經鄉寧縣西韓城縣東其東岸爲河津縣之龍門山西南流有汾水來會又經郃陽縣東臨晉縣西又經朝邑縣東蒲州永濟縣西有涑水自絳縣聞喜縣合安邑解州猗氏縣臨晉諸水來會又南經朝邑縣南有洛河來會又經華陰縣東有渭水來會折東流至潼關南岸入河南閿鄉縣境又東經芮城縣南又經靈寶縣北有宏農河來會又經陝州北平陸縣南又東過底柱山經澠池縣北垣曲縣南有清水出絳縣沇水出王屋山來會又東北岸亦入河南界經新安縣北濟源縣南又經孟津縣北孟縣南又經鞏縣北有濟水自北來會又經溫縣南鞏縣北又經汜水縣北有洛水來會又東北有豬龍河來會又東南有沁水來會又經滎陽縣北又東經滎澤縣北原武南縣鄭州北又經陽武縣南中牟縣北又經延津縣南祥符縣北封邱縣南陳留縣北又東南經蘭陽考城縣北又東入山東界經曹縣南又東經單縣南又東南流入江南界過雲梯關入於海

河源圖說 吳省蘭

漢書及水經皆言河源一出葱嶺一出于闐蓋出葱嶺爲正源出于闐者爲旁源其形勢然也西域山之極偏西者莫大於葱嶺蓋山脈延亙自偕格喀巴布山分支西繇由齊齊克里克嶺特拉克嶺經喀什塔什嶺和斯魯克嶺而北折經吉布察克三喀克善諸山皆得以葱嶺名之自此東行爲天山正幹山脈所入其諸山之水隨地而發翠支散衍總歸大河其大源有二喀什噶爾河發源最遠葉爾羌河與和闐鄰接俱東行與和闐河會源流廣大視和闐數倍過之蓋和闐兩岸地多沙磧水或湮滲不流而葱嶺之水源委數千里或分或合不滲於沙不隔於嶺自古數河源者必曰葱嶺以是故也至葱嶺西方所出諸水或入於達里岡阿鄂謨或匯於騰吉斯鄂謨此則水經注所述入雷翥海諸水皆以西海爲歸墟而在葱嶺之外矣和闐共六城其哈拉哈什玉龍哈什二城水爲河水分見之源行至厄格爾雅爾而合東北行共千一百里始會葱嶺諸山西來之水其左右如都瓦城三珠城額里齊城塔克城諸水自流自止不顯與和闐河會蓋沙磧間之實亦和闐之旁源也

西域北山即古天山亦稱折羅漫山東西六千里中以此山爲北障其南境水無不入大

河今考蒲昌海以西所受北山之水有四大源最西爲阿爾蘇河會烏什水南流會於蔥嶺和闐河交滙處其一爲庫車河四源合流流至沙雅爾城南入河水其一瑪巴赫色爾庫爾水自諸不流與河不相望隔數十里蓋伏流而入河水者也其最東爲海都河挾四源出衆山之口匯爲淖爾瀦出南入大河蓋古今由西麓水山海經稱敦薨之山敦薨之水出焉西流注於泑澤出於昆侖之東北隅實爲河源即指斯水蓋天山南麓約以四源而海都河爲最盛故山海經亦以河源稱之所謂傳聞異詞僅得其近似者也惟我朝天山南北盡隸版方諸水所經皆有城郭自烏什阿克蘇拜城賽喇木庫車哈喇沙爾至吉爾森呢木諸城耕屯井牧不殊內地皆藉河水爲灌漑故分合脈絡一一可稽焉由是匯於羅布淖爾爲西域河水總之彙計自蔥嶺之東嘉峪關之西天山之陽南山之陰縱橫七八千里稽其大勢一涓一滴咸於是匯歸即古之蒲昌海也唐杜佑疑蒲昌海爲西域自行自止之水不與積石河通今考羅布淖爾北近天山南則東以沙磧諸峰其西方爲大河衆源來處東境又爲伏流來赴之水合稽西域地勢無有下於是者故西域支流別派亦無有不歸於是者乇於涉歷冬夏不減不盈則以其沙道潛通有洩有受其迹似異

河南印刷局印

而其故可以理推也淖爾北倚天山支峰南有魯齊圖達巴漢其旁衆池駢列爲圓池爲方橢池爲鄂爾溝海圖水巴哈噶遜水努齊圖色欽水錯居環繞燦然亦如星宿論者謂其衍形成象與鄂敦他臘諸泉祖孫一氣信不誣也水經注稱其洄湍電轉爲隱淪之脈可以證伏流矣若夫羅布淖爾東北路諸泉爲托克三土爾番闢展哈密諸地水皆出天山南麓或稱交河或稱南湖泉流散漫日行自北諸土依之以爲聚落伊古以來未有言其歸向者今以西域地勢考之天山正介東出南折以屬於安西則其中也諸山勢亦必西向歸於羅布淖爾特流沙閼阻千里水泉不流行於沙面必貫輸於沙底雖無顯然奔赴之蹟要不容區而別之於大河外也蓋西域大勢四隆中窪羅布淖爾適當其窪處羣水四面環歸惟以東南方一隅爲洩水之尾閭衆水不同總以出天山南麓者爲斷焉由羅布淖爾東南伏流沙磧千餘里重出爲阿勒坦郭勒之源此則漸及於近世所稱之星宿海矣蓋自北幹南幹分行連山劃然中斷諸沙委積宏流潛伏由羅布淖爾以至阿勒坦郭勒重發之處測其經度約一千五百里若以伏流隨山曲折東西徼證當不止二千里而贏其間諸泉仰發不一而足實大河伏流入阿勒坦郭勒之孔道也爾雅載河出

崑崙墟色白所渠幷千七百一川色黃今考回部所受經流支川無慮千數所謂渠幷者
在西域已居大半矣從來水潛地底側出仰流無不泓然澄清獨阿勒坦郭勒噶達素齊
老之水伏流初見輒作黃金色因即以黃金名之豈非大河靈瀆雖伏地千里而仍不改
其本性者乎唐人始有柏海星宿川之目元人窮源至星宿海皆未識阿勒坦眞源我朝
命使窮源自鄂敦他臘而西更三百里歷古覔今所未能窮見者於是乎大河眞源昭然
如發蒙焉若元使窮河源至鄂敦他臘而止不知其西有阿勒坦之黃水已爲失實其尤
外者以朵甘思東北鄙有大雪山名亦耳麻不莫剌譯言騰乞里塔指爲崑崙自河源至
崑崙已行三十日程河繞其三面則是崑崙爲河所經由之地而非源矣侍衛拉錫舊所
具河源圖貴德之西有三昆都倫河入河水謂蒙古語以橫爲昆都倫河之橫者爲昆都
倫山之橫者亦爲昆都倫彼昆都倫以橫山延亙得名說者不察遂以三河之名附會而
誤宋史河渠志大雪山之非崑崙而爲禹貢之積石山山川道里形勢方向昭然明晰無
可置疑西域自漢武帝時通於中國張騫始發其端厥後開置四郡設都護輪臺渠犂皆
置田卒則大河所注咸在節制之中班史言南北有大山中央有河河水兩源一出葱嶺

一出于闐東注蒲昌海其水渟居冬夏不增減皆以爲潛行地下南出積石山爲中國河其言信而有徵自唐以來誤指西海境山爲昆侖反詆史記漢書所稱西域河道爲非是則外謬甚矣禹貢導河自積石言治水施功之始非謂河源山海經水經注沿河源重發於積石則舉青海境大山以包舉諸地言積石而星宿海亦在其中也積石山今之阿木奈瑪勒占木遜阿林山形蟠屈數百里巍峨高聳爲通境之望其山脈自祁連山南出迤邐而東爲托賴哈達阿林巴哈圖爾根阿林哈爾吉布達巴漢諸山隨處異名其實皆積石一體也大河自西方流繞其南合三昆都倫河折而北而轉西繞其東北境與庫庫淖爾相望蓋環積石三面一千三百餘里大河自此東北折由溫泉邊入貴德堡衆流漸濁復其本性蓋自昆侖正源青海重源再伏再見至此始名黃河焉若夫青海在大雪山之北肅州安西州之南旁列羣峰中環巨浸周圍十餘里其水不與西域通亦不流注河水然西北一隅正與哈拉淖爾諸水如衣馬爾山長馬山諸源鄰接其西南一隅阿穆呢色爾沁地與河水東折之處相望繞數十里是又大河旁源瀦流不洩者也蓋交流總匯於羅布淖爾積石重源又旁瀦於是地既與河源鄰接則與西北流出之居延海休屠澤諸

水隔絕河水者迥乎不同云

豫乘識小錄黃河說 朱雲錦

史記河渠書謂河所從來高水湍悍難以行平地乃北載之高地誣哉斯言河行平地尙決溢豈行高處反順流乎禹亦第能順水性耳烏能强之使行高地哉禹貢所紀底柱孟津洛汭俱在今河南一府之地河出秦隴之險岡安驅於西山金隄之間未嘗橫流中原一步歷周定王漢明帝時海口屢易在豫境乃未失其故武帝時塞決河作歌曰嚙扶桑兮淮泗滿亦幾幾有南流合淮之勢賴其時隄障而北之而梁楚復寧歷東漢至隋唐迄無大患金明昌五年河決陽武東注梁山濼分爲兩派一由北清河入海一由南清河奪淮入海即今河道元至元中河徙陽武南奪渦入淮泰定時改從汴渠至徐城東北入泗入淮明弘治河決荊隆口踰黃陵岡東經曹濮至張秋入運河命劉大夏等治之遂塞荊隆口治黃陵岡隄迄後決塞無常至崇禎十五年流寇圍汴不下決黃金壩口灌省城城淪沒帝發帑金五十萬命募夫塞之河由故道十六年又決南入渦河順治元年河自復故道古今治河之說自賈讓三策出無出其範圍者然多用其下策耳今之治河與古迥異較古

河南印刷局印

倍難唐宋以上惟欲河流不潰溢其入海之路可聽其便自元明開會通河藉河爲運口歲漕東南之粟四百萬石以實京庾河北決則由張秋臨清一帶衝運道會大清河入海而汶水不能北流而運道絕南決則合淮泗入湖湖溢而南則淮揚既爲巨浸而清口南趨而運道斷故古者河自河運自運今河道即運道清口爲南北運道一大關鍵都水者烏容稍軼於尋尺之外哉又河性宜合不宜分蓋流分則勢弱勢弱則淤益多淤多則決溢更甚河流昔至安東距海已近有四套五套六套之名再東即爲葦蕩向無隄工河流既浸而潮汐又若迎若拒互相洄漩積日既久尾閭高仰下游不暢上游屢有漫口邇年近海處所皆築隄保固添設專員藉隄束水藉溜刷沙河流直注海口通暢始知向所稱之地有鐵門限鐵板沙之言皆緣溜緩沙停日久堅緻督事者採撫浮說塞責耳十八九等年河決豫境清水獨力刷汰愈見深通兗豫距其地較遠蓋有陰受其福而不知者今將黃河經行之處自入中國至抵海口皆以今地名注之兩岸隄工自武陟滎澤起至江南安東海州止各有分汛管轄亦約略備書

河發源於崑崙至積石而入中國（在西寧衛西南百七十里）又東經河州城北又東北經蘭州城北（北門

外有浮梁用巨艦二十四貫以鐵繩架以木板可行車長三四十丈臨河建有傑閣顏曰天下黃河第一橋多月冰凍鋪土其上往來如常將泮輸鐵日有聲如雷相戒不敢行泮後仍設浮梁焉又東經金鄉縣北至縣北六十里入亂山中危湍仄澗凡二百里而入靖虜衛界又東北經靖虜衛北又東北經寧夏中衛南又東北經寧夏衛東又東北入榆林西境經古三受降城又東折而南經榆林之東又南經府谷縣東又經神木縣南入葭州境經州城東東岸爲山西河曲保德州及興縣境又南經吳堡縣綏德州東東岸爲山西臨縣永寧州及寧鄉縣界又南經青澗縣東又南經延長縣及延川縣東東岸爲山西之石樓及永和太寧縣境又南經宜川縣東東岸爲山西河津汾水至此入河及滎河臨晉縣西境又南經朝邑縣東又南經華陰縣東北渭水於此入焉東岸爲山西蒲州又南過雷首山乃折而東河流自東勝州折而南幾千八百里自壺口以至潼關兩岸亙山夾帶深險而華山橫亙於南河於是復折而東又東經閿鄉靈寶縣北北岸爲山西芮城縣南境又東經陝州城北又東經澠池及新安縣北北岸爲平陸及垣曲縣境州城西北三里曰太陽津即古茅津爲渡河要地其西爲三門即大禹鑿山水從山而下之處中曰神門南曰鬼門北曰人門水行其間聲如雷激其東北五十步即底柱高數丈孤立水中又東經河南府北北岸爲濟源縣南境又東經孟津縣北北岸爲孟縣南境河在孟津北五里孟縣南三十里至此兩岸平闊其流漸緩潰溢之患自此而始然尚未設隄者緣其地仍得山餘氣土脈猶堅尚不善崩耳晉杜預造河陽橋北魏至唐之河陽三城皆在此中城在中潬至宋嘉祐中始沒於水孟津志謂即縣西十五里之雷家灘孟

河南印刷局印

（釋志河即邵家灘者無徵證）又東經鞏縣北（洛水入焉是謂洛汭）北岸爲溫縣境（濟水入之）又東經汜水滎陽縣北北岸爲武陟縣南境（沁水至是入河）又東經河陰滎澤縣北（河陰今并入滎澤）又東經滎澤縣北北岸爲獲嘉縣南境又東經原武縣北陽武縣南又東經開封府城北封邱縣南又東經陳留及蘭陽縣北北岸接直隸長垣縣境又東經儀封廳北北岸接東明縣界又東南經睢州北北岸爲考城又東南經商邱縣北北岸爲山東曹縣界又東經永城夏邑北北岸爲單縣境又東經虞城北北岸亦單縣境又東經江南碭山縣北又東經豐縣南又東經沛縣南蕭縣北又東經徐州北又東南經靈璧縣北又東南經睢寧縣北邳州城南又東經宿遷縣南又東經桃源縣北又東南經清河縣境又東經淮安府城北又東經安東縣城南而入於海按河南岸自閿鄉入豫境至江南徐州府碭山縣出境北岸自濟源縣入境（與垣曲分界）至山東曹州府曹縣出境

按此篇大半取之河南通志而略有所增以其爲後出之書故不錄河南通志所載古黃河道而錄此篇

蔥嶺三幹考 魏源

蔥嶺即崑崙其東出之山分三大幹北幹自天山起祖由伊犂繞宰桑泊之北而起阿爾泰山中幹自于闐南山起祖經青海由三危積石繞套外爲賀蘭山其在大漠南黃河北者爲北支在黃河南漢水北者爲中支南幹自阿里之岡底斯山起祖起阿里東爲衛藏蔥嶺河源經回部匯於蒲昌海在天山之南于闐山之北自蒲昌海東至玉關千餘里自玉關東至遼西瀚海六千餘里此北幹中幹天然之界也

岡底斯山考 魏源

岡底斯山在阿里之達克喇城東北三百十里直陝西西寧府西南五千五百九十餘里其山高五百五十餘丈周一百四十餘里四面峰巒陡絕高出衆山者百餘丈積雪如懸崖皓然潔白頂上百泉流注至山麓即伏流地下前後環繞諸山皆巉巖峭峻奇峰拱列按其地勢出西南徼外以漸而高至此而極山脈蜿蜒分幹向西北者爲僧格喀巴布岡里木孫諸山繞阿里而北二千五百餘里入西域之和闐南山及蔥嶺諸山向東北者爲扎布列斜而克角烏爾克年唐拉木隆坦岡匝諸莫渾烏巴什巴顏哈喇諸山環衛地亮青海連延而下六千餘里至陂西西寧等處邊界向西南者爲悶郡克尼兒薩木泰岡諸

山亘阿里之南二千餘里入尼納特克國向東南者爲達木楚克喀布巴岡噶爾沙爾磬金剛花諸山歷藏衛達喀木七千餘里至雲南四川之境康熙五十六年遣喇嘛楚兒沁藏布蘭木占巴理藩院主事勝住等繪畫西海西藏輿圖測量地形以此處爲天下之脊衆山之脈皆由此起云按水經注阿耨達山西南有山名遙奴山西南小東有水名薩罕小東有水名恒伽此三水同出一山俱入恒水康泰扶南傳曰恒水之源乃極西北出崑崙山中有五大源枝扈黎大江出山西北流東南注大海枝扈黎即恒水也今阿里爲藏中極西南地近古天竺境北山西山狼楚拉嘛楚楚三大水皆西流轉東而南合爲岡噶江入南海疑此即阿耨達山也節按崐崘異同考曰水經注引釋氏西域記曰阿耨達大山其上有大淵水宮殿樓觀甚大焉即崐崘山也阿耨達山即今西藏之岡底斯山在後藏達克喇城東北三百餘里直青海西南五千五百餘里其山四支北出者曰僧格喀布巴山與和闐之尼莽依山南北聯岡尼莽依水經注所謂仇摩置也黃河初源實出於此

河源異同辨　范本禮

河有初源有重源出蔥嶺經喀什噶爾爲喀什噶爾河東會葉爾羌河又東會和闐河是爲塔里木河至羅布泊而伏重源出阿勒坦噶達蘇齊老山爲阿勒坦郭勒河初源出蔥

嶺詳見於漢書後之言河源者無能知也重源出阿勒坦噶達蘇齊老山則實自乾隆時發明之前之言河源者不能識也漢書西域傳云河有兩源一出蔥嶺一出于闐于闐在南山下其河北流與蔥嶺河合東注蒲昌海一名鹽澤其水渟居冬夏不增減南出積石爲中國河其所謂出蔥嶺者即今喀什噶爾河及葉爾羌河所謂出于闐者即今和闐河蒲昌海即羅布泊也喀什噶爾河爲蔥嶺北河乃河之正源葉爾羌河爲蔥嶺南河與和闐河皆爲河之旁源以今地證漢書河源出蔥嶺彰彰明甚顧自漢以後衆訟紛紛而卒不得河源之眞者則以其舍蔥嶺而求崑崙也夫山經禹紀皆荒誕不經之書無足徵者即爾雅云河出昆侖虛亦未實指崑崙爲某地至漢使窮河源歸天子乃按古圖書名河所出山曰崑崙是崑崙至漢時已僅存虛名則漢以後之求河源者自當舍僅存虛名之崑崙而求確有實據之蔥嶺唐人不知此理劉元鼎遂以吐蕃中悶摩黎山爲河源所出杜佑又力主其說以詆漢書良以漢書所載唐人不能親至其地乃等諸山經禹紀之無徵而輕信吐蕃之言謂崑崙在其國西南元鼎求之西南而不得轉以其東北之悶摩黎山當之元都實又沿其謬遂謂河源出星宿海又在崑崙之西自以到唐人未到之處沾

沾自喜不知都實亦僅僅得河之重源且於重源亦未可爲眞得者康熙中侍衛拉錫尋至鄂敦他臘而止失與都實同至乾隆中侍衛阿彌達始得重源之實蓋猶存星宿海西三百餘里自古訪重源者未有若此之詳且確也遂以是爲河之初源則又不然河爲萬水之源其發源之山自當爲衆山之祖今考水道提綱稱噶達素七老峰高止四丈謂爲衆山之祖可乎且羅布泊受葱嶺南北河及和闐河三大水而無泛溢豈無所泄而能然乎吳省蘭謂西域諸水惟東南之羅布泊爲洩水之尾閭雖流間隔千里而水不流行於沙面必貫輸於沙底雖無顯赴之蹟可決其潛發之源其說最當惜乎僅從遙度而阿彌達僅以探得阿爾坦寒音不知細察伏見之實據至康熙中侍衛勝住偕喇嘛繪西藏青海地圖歸以後藏阿里之岡底斯山當崑崙謂即河源則是勝住能知河之有初源矣而泥於崑崙二字爲喇嘛所愚蓋喇嘛祇欲推崇其境內山川猶吐蕃之謂崑崙在其國中也今之求河源者祇當問其是河源非河源不當問其是崑崙非崑崙河源所在即崑崙所在今考葱嶺河源銀濤一片未至羅布泊以前即受回部千百支幹之水而阿勒坦噶達蘇齊老山中之池流泉噴出皆黃色證諸爾雅河出崑崙虛色白所渠并千七百一川

色黃一一吻合則蔥嶺所出爲初源阿勒坦噶達蘇齊老山所出爲重源無疑彼水經之言河出崑崙又南入蔥嶺山者猶拘於崑崙之名而不知蔥嶺之即崑崙也我故曰自今以後言河源者但云出蔥嶺不必更云出崑崙也至漢書之以積石爲重源唐人以小積石爲積石其紕繆更不足辨

皇朝通志

入河諸水　洛水即豫州川源出陝西商州雒南縣冢領山經縣北東入河南界經盧氏縣南熊耳山北又經永寧縣南宜陽縣北又東北經河南府洛陽縣西南有澗水合穀水自澠池新安縣來會又東經府城南有瀍水自北來會又經孟津縣偃師縣南有伊水自盧氏縣經嵩縣伊陽宜陽洛陽諸境來會又東北經鞏縣汜水縣入黃河　濟瀆源出懷慶府濟源縣西北與山西垣曲陽城接界之王屋山即禹貢沇水也經濟源北分二派一經鞏縣西北境入河一東流爲豬龍河經府城南又經溫縣北又經武陟縣南入黃河其南岸爲滎澤東爲滎陽即禹貢溢爲滎地自西漢來不復溢爲滎也

水道提綱　齊召南

沁水源出山西沁州沁源縣北之綿山車家領俗曰山谷河東南流其東源出琴谷者自東北來會經縣上鎮南又南經陽城村西官軍鎮東有二小水自東北來會一晉渠山水一馬圈溝水西南流有五龍川合浩河自西北來會五龍川在土嶺西山東南流有浩河出仁壽山東流經韓洪鎮北郭道鎮南與五龍川會東南流入沁水又南經縣東而南有青龍河自東來會折西南有西川河自西北來會南流經圖桼鎮西有大南川自西北來會又南經屯留縣西境岳陽縣東境之高壁村東有和川自西來會又南經蘇村東銜桼西有邊桼鎮水自東北來注之又西南至端氏鎮南有邢堡水自西北來注之其南即三嵕假月山也又東流一小水自東北來注之又南經沁水縣東境有海河合諸水自東北來會海河出沁水縣西之烏嶺東流北合一水東南流經縣城北又東南流有固鎮水合一水自西南來會又東有碧峰山水自北來會俗曰大陰溝又東有友泉村水自南來注之東入沁水又東流有海子河玉溪河自東北來注之折而東南經澤州西北境至陽城縣東有小水自東來盧水自西來並會又南有澤河自西來會澤河出陽城縣西南境析城山西北之岳神山東北流合一小水折東南流經濩澤故城南又東流有一水西北自西山來會又南流有桑村河自西來會又東入沁折而東受東北來之長河水又南流入河南界經懷慶府西北濟源縣北之太行山東南流經窰頭村南又東南至府西北有一水至西南來注之東經府城北而東有廣濟河支津至西南穿城而東北

流來會其北受大丹河水水勢益盛大丹河出潞安府西南山南流至高平縣東北有浮雲河西北來會南經縣城東又南許河自西來注之有耳白水東北自陵川縣東北之馬宮山西南流合濇水來會又南流東受白羊河水又南經澤州東南境有白河黃沙河西北自州城合而東南會天井關北水東入丹河又折而東南入河南界經懷慶府北境之方山東又東南出山流分爲二其東流者曰小丹河東北經修武獲嘉與衛河合者也其南流曰大丹河至懷慶城之東北入沁水又折而東經溫縣北境至武陟縣城北折而東南流數十里入河曰沁口在溫滿村東二十餘里南岸即河陰縣北境也

改沁入衛辨 范榮恒

沁水出山西沁源縣至濟源五龍口出山至河內西十五里折西南由溫入黃河其舊跡也晉司馬時改而流城北過武陟入河而舊跡不可復又傳昔有引沁入衛濟運者張清恪公居濟一得亦及之乾隆初年建議者用水平測地勢衛輝下懷慶十餘丈復欲改沁入衛以濟漕司河者主其議幾行矣懷慶守任應烈毅然爭之事乃已夫水勢就下引高沁入卑衛且可濟運益國計而無害於民爲之可也然隨山治水自古爲昭非但因勢利導也抑下流有關鍵則順趨者得所泄而無橫決之害大行山由懷衛漸轉而北即曰水隨山轉而東南無山與陵爲之抗水豈能曲折隨人而東身以趨乎且由沁源而沁州而陽城曲屈諸山間蓄極則勢壯五龍口建瓴直下又時當夏秋合衆山之流稽天而至即

在河內因勢利導長隄抗之然且漂人畜壞城郭金明至今三被其害而强之復使北即懷衛諸邑之庬沁東南者蠢魚鼈矣如之何其可行也即建議者欲不惜帑金作石堤以抗水亦臆說也夫石壩誠可拒水然順勢道水則可耳沁水東南流而逆抗之雖甃石以鐵灌以灰漿以爲牢不可破矣然水浸之烈日暴之恒風不息石裂而有隙立而見潰矣自非天作高山或移山鞭山之有術豈能使水聽命哉或曰黃河江淮義趨東南草壩石壩所在有之未聞無用也然補漬防隙費廣而力勞矣且江南一隅耳衆水所匯不義人力則不可河東二省漕運有限衛河達臨淸合西山衆流亦足矣改沁入衛歲修隄壩糜有限之金錢塡無窮之巨浪又焉用之說者又謂淸恪公豫人也必諳豫河且有治河名故行水金鑑載其說夫公居儀封在大河之南去河北懷慶四百餘里地形恐未悉復沿改沁水入衛之說誤之耳今雖不改竊恐後之膠柱鼓瑟者仍執前議以見能如之何不辨

豫河志卷四　源流三

禹貢錐指論河　胡渭

禹釃二渠自黎陽宿胥口始一北流爲大河一東流爲漯川周定王五年河徙自宿胥口東行漯川其大河故瀆則至長壽津與漯別行而東北入海其經流自宿胥口徙流至成平合漳水復歸禹河舊迹至章武入海（今直隸靜海天津）漢武帝元光三年河決濮陽瓠子則東南注鉅野通淮泗而北瀆之流微漯川之水涸及武帝塞宣防導河北行二渠則正流全歸北瀆餘波仍爲漯川此自定王五年至西漢末所行之地也成帝建始四年河平三年兩決皆從平原至濟南千乘入海河勢駸駸向東至王莽始建國三年河決魏郡泛清河以東數郡而北瀆遂空直至後漢明帝永平十二年詔曰自汴渠決敗六十餘歲蓋河自平帝之世行汴渠東南入淮亦行濟瀆東北入海與後世南北清河之分流幾相類歲月逾甚滎陽以下正流漸微至後漢永平則莽時館陶決口亦必淤淺故王景治河修渠築隄自滎陽東至千乘海口千餘里蓋河汴分流遂從漯川導河至東武陽始合王莽故道此東漢以後大河之所行也武帝雄才大略使欲飛復禹河故道當亦無難而難於討論

僅執北瀆爲禹河及哀平之世人始有知禹河之所經者賈讓請決黎陽遮害亭放河使北入海王橫請徙河繞西山足乘高地而東北入海意皆欲復禹河故道而國祚阽危事不可爲矣永平上距平帝時僅六十餘歲故道豈遽湮滅而王景治河惟從事汴濟蓋當時所急在運道就其利便者爲之不暇遠圖耳史稱景鑿山阜被溝澗防遏衝要疏決壅滯十里立一水門費以百億計財力之充裕若是向使講求禹河故道而復之則河流歸北汴濟不勞而治功施到今五代以降潰溢橫決之禍可以免矣惜乎其不及此也河雖徙自周定王時而東光以下至章武入海猶是徙駭之故道至王莽時始改從千乘入海而景遂因之禹迹蕩然無存君子於此有遺憾焉

賈讓議決黎陽遮害亭放河使北入海曰大漢方制萬里豈與水爭咫尺之地蓋讓欲復禹河故道故曰尊古聖之法定山川之位此功一立千載無患非謂任河之所向雖橫流失道亦棄地予之也李尋解光云因其自決可且勿塞以觀水勢關並云河決曹衛之間南北不過百八十里可空此地勿以爲官亭民室則其言稍涉孟浪矣永平中議修汴渠或以爲河流入汴幽冀蒙利故十三年詔述其言曰左隄彊則右隄傷左右皆彊則下方

傷宜任水勢所之使人隨高而處公家息壅塞之費百姓無陷溺之患此即李尋解光關並之說也宋神宗所以語宰執者意亦如此愚謂斯言不皆用之則爲害匪細夫故道難復而新河所行頗得地宜兩岸完固勢不能逾泛濫如賈讓所云西薄大山東薄金隄者任其所之可也若平地橫流則急宜修塞使歸故道苟任其所之則兗豫青徐數州之地皆爲糜爛之區矣所爭豈僅萬里中之咫尺而已哉若田蚡利鄃邑之歲收勸武帝勿塞谷永黨於王氏成帝時河決言修政以應之則災變自除以陰爲元城冢墓之計此盤庚所謂聒聒起信險膚胥動以浮言者也

自王莽始建國三年河徙由千乘入海後五十歲爲漢明帝永平十三年王景治河功成歷晉唐五代千年無恙至宋景德而有橫隴之決慶歷有商胡之決河復北流而漢唐之河遂廢此又河之一大變也考宋初河道與唐五代略同歐陽修所稱京東故道是也景德元年河決澶州橫隴埽尋復修塞景祐元年又決橫隴遂爲大河之經流自長淸而下始與京東故道合迨慶歷八年河又決澶川之商胡埽而橫隴斷流於是李仲昌議開六塔河引歸橫隴故道嘉祐元年塞商胡北流入六塔河不能容是夕復決自後無復言橫

隴者而京東故道遂廢於是二股河之議興二股者商胡決河之別派也決河自魏至恩冀乾甯入海二股自魏恩東至德滄入海即唐馬頰河之故道熙甯二年開二股河以導東流發及六分而北流閉河自其南東決泛濫五州軍境自是屢塞屢決元豐四年澶州小吳埽復大決北注御河詔東流已塡淤不可復自今更不修閉元祐中復議回河久之不決紹聖中卒行之元符二年河決內黃口東流斷絕詔大河水勢十分北流其共力救護隄岸是後不復開二股河矣以今輿地言之開州大名元城（並屬直隸大名府）冠縣館陶堂邑臨清（並屬山東東昌府）威縣清河（並屬直隸廣平府）夏津武城（並屬東昌府）棗強（直隸真定府）故城（直隸河間府）恩縣（東昌府）德州（濟南府）吳橋景州東光南皮交河滄州青縣靜海天津（天津府）諸州縣界中皆宋時黃河北流之所經也商胡決後二十一歲爲神宗熙甯二年導東流而北流閉又十二歲爲元豐四年河復北流哲宗紹聖初又閉後數歲爲元符二年東流斷絕河復北流蓋自仁宗慶歷八年下逮金章宗明昌五年凡百有四十六歲而河始南徙

宋河東流爲二股河北流則行永濟渠清河入海考宋時論北流之利者如熙甯初提舉河渠王亞等謂黃御河一帶北行入獨流東砦經乾甯軍滄州等界入海其近大海口闊

六七百步深八九丈其更西闊三四百步深五六丈其勢愈深其流愈猛天所以限契丹議者欲再開二股漸閉北流此未觀黄河在界河内通流之利也元豐四年李立之言自決口相視河流至乾寧軍分入東西兩塘次入界河於劈地口入海通流無阻宜修立東西隄從之元祐初有回河東流之議范百祿等言昨按行黄河獨流口至界河又東至海口熟視形勢各稱界河未經黄河行流以前闊百五十步深一丈不等自黄河行流以後今闊至五百四十步次亦二三百步深者三丈五丈次亦二丈乃知水就下行疾則刮除成空而稍深與漢張戎之論正合自元豐四年河出大吳埽一向就下漸入界河兩岸日闊連底成空趨海之勢甚迅雖遇汛漲非常而大吳以上數百里終無決溢之患此乃下流深快之驗竊謂本朝以來未有大河安流合於禹迹如此之利便者也紹聖初復議回河范祖禹言今之河流方稍復大禹舊迹入界河趨海初無壅底萬衆所聚其來遠大必無可塞之理大觀二年都水使者吳玠言自元豐開小吳口決北流入御河下合西山諸水至清州獨流砦三叉口入海雖深得保固形勝之策而歲月浸久侵犯塘隄衝壞道路齧損城寨臣奉詔修治隄埽涨溢然築八尺之隄當九河之尾恐不能敵乞逐旋增修從

河南印刷局印

之此皆知北流之利者也按今靜海本宋清州地縣境有界河亦曰潮河即易滹沱巨馬三水所會合衛河入海自塘濼既興文安大城之水多入白河其行界河者惟滹衛耳獨流口在靜海北二十里劈地口在縣東北又東爲三叉口即宋時北流入海之處也其後北流兼混入漳水亦自兩行至清池之合口始會流入海故徽宗即位張商英議引大河自古漳河浮瀆入海蓋欲導全河以入漳而廢永濟之故道浮瀆即浮水在今滄州東南水經注所謂浮水故瀆也地勢東高西下北流屢決而西導全河入漳尤合於禹迹但河由界河趨獨流口入海極其通利而顧欲改從久淤之浮瀆至鹽山界入海殊爲多事商英亦非知水者也

禹河本隨西山下東北去（西山即黎陽西山杜佑指爲大行恒山去河太遠恐非）賈讓請決黎陽遮害亭放河使北入海者也時不見用而宋之北流實行其道河入海之路宜近不宜遠孫禁議決平原金隄令入故篤馬河行五百餘里入海是也許商阻之而宋之東流卒由篤馬河入海（即商胡決口之別派也）事當於理雖爲人所格而天必從之故事機之善未有善於宋之東北二流者也蓋清河行漳河之南王莽故瀆之北去禹河最近（漯水故禹河）欲復禹河舊迹莫如導黃河入白

滯以人力爲之其可也而況商胡自決北流通快海口廣深此誠千載一遇誠能因禍爲福轉敗爲功於魏恩滄冀之境寬立隄防約攔水勢疏其壅積遏其衝要則雖不及禹迹猶可比王景所治之千年無患而朝議紛紜必欲回河使東六塔既敗二股復興至元豊四年河又北流而神宗之意怠矣哲宗即位復議回河大略謂河尾北向恐入契丹之地則其界踰河而南彼必爲橋梁守以州郡中國全失險阻而蘇轍駁之以爲契丹之河南注於海地形北高無北徙之道而海口深浚勢無徙移范百祿亦云界河向去深闊加以朝夕海潮往來渲蕩必無淺澱河尾安得直注北界亦足解其惑已而紹聖諸臣力主東流藉河事以伸其紹述之說意不在河更無足論元符二年河復決而北地勢可知而建中靖國初猶有獻東流之議者嗚乎宋君臣論河者猶有可取而治河則皆坐失機會舌敝耳焦不見成功卒委其地於金源氏而河益南徙濬滑汲胙之間化爲平陸豈不惜哉

何謂宋君臣之論河往往有可取也熙寧五年神宗語執政曰河決不過占一河之地或東或西若利害無所較聽其所趨如何元豊四年又謂輔臣曰水性趨下以道治水則無違其性可也如能順水所向徙城邑以避之復有何患雖神禹復生不過如此此格言也

河南印刷局印

然施之於商胡北流適得其宜若地平土疏潰溢四出所占不止一河之地者豈可亦隨其所向遷徙避之乎歐陽修曰河本泥沙無不淤之理淤常先下流水行漸壅乃決上流低處故大河已棄之道自古難復此格言也然瓠子決二十餘歲而武帝塞之河復北行二渠河侵汴濟注淮泗六十餘年而王景治之仍由千乘入海今橫隴之徙裁二十年安見故道必不可復但北流寔利便不當更事橫隴耳蘇轍曰黃河之性急則通流緩則淤澱既無東西皆急之勢安有兩河並行之理此格言也然吾觀古河未有不兩行者禹釃二渠爲萬世法自叅以上則必敗宋之二股即唐之馬頰以此爲枝渠受河水十之一二亦自無害但不可令指大如股耳 張商英曰治河當行其所無事 一用隄障猶塞兒口止其嗁此格言也語出賈讓然讓意謂正道 循流不可傚戰國曲防之術耳若衝激之處潰溢可廢非增卑培薄何以禦之任伯雨曰昔禹之行水不獨行其所無事亦未嘗不因其變以道之此格言也然必如北流之合於禹迹者不妨因其勢而利導之若注鉅野通淮泗安得不反之使北邪此數說者如奕者必勝之著而低手混施之則全局皆空古今經驗之方而庸醫誤之則殺人無算是故治河之道或新或舊或合或分或通或塞或無事

或小有事或大有事神而明之存乎其人苟非其人則必有害孟子所以惡執一也

金始克汴兩河悉畀劉豫豫亡河遂盡入金境數十年間或決或塞遷徙無定而汲胙之間如故迨明昌五年八月河決陽武故隄灌封邱而東都水監官見水勢趨南不預經畫各削階罷職蓋河流至是又一大變矣金吉甫云河至紹熙甲寅南連大野并行泗水以入淮於是有南北清河之分北清河即濟水故道南清河并泗入淮今淮安之西二十里對岸清河口是也（紹熙甲寅即金章宗明昌五年）蓋是時河徙自陽武而東至壽張注梁山濼分爲二派北派由北清河入海即今大清河自東平歷東阿平陰長清齊河歷城濟陽齊東武定青城濱州蒲臺至利津縣入海者也南派由南清河入淮即泗水故道今會通河自東平歷汶上嘉祥濟甯合泗水至清河縣入淮者也初宋熙寧十年河匯梁山濼分入南北清河尋經塞治至是復行其道而汲胙之流遂絶去禹迹益遠朱子語錄云見劉樞家中原圖河郤自西南貫梁山濼迤邐入淮來神宗時河北流故金人盛今郤南來故其勢亦衰謂此事也考河自南渡以來漸離濬滑勢益趨而南特至明昌五年而始決裂先是都水監丞田櫟言前代每遇古隄南決多經南北清河分流南清河北下有枯河數道可容河水

河南印刷局印

十之七八濟河乃濟水故道可容十之二三而已因欲於北岸牆村決河入梁山濼故道依舊作兩濟河分流未及行而八月河決竟如其言蓋是時決勢已成楪欲因而利導之且以宋爲鑒故利河之南而不欲北然前代河行淮濟未幾即塞曷嘗以是爲正道而任其所之哉迨金人南遷於汴於是溫撒可喜言近世河離故道自衛東南流由徐邳入海以故河南地勢益狹竊見新鄉縣西河水可決使東北流其南有舊隄水不能溢行五十餘里與濟河合由濟州柳口入海（濟河即衛河濟州今靑縣柳口即靜海縣北之楊柳靑渡）此河之舊道也皆有舊隄補其缺略足矣如此則山東大名等路皆在河南而河北諸郡亦得其半退足爲禦備之計進足壯恢復之圖議者以爲河流東南已久決之恐故道不容衍溢而出遂寢蓋國勢已蹙實無暇及此而原其始實由宋人不盡力於北流馴致此變於金何責焉

河自金明昌甲寅之徙大半入淮而北清河之流未絕也逮元世祖至元二十六年己丑會通河成於是始以一淮受全河之水蓋自漢元光三年河決濮陽瓠子東南注鉅野爲河通淮泗之始下此宋太平興國八年咸平三年天禧三年熙甯十年河皆嘗決入淮但未幾即塞其久而不變歷今五百餘歲河淮並爲一瀆則始於明昌成於至元也暨元順

帝至正四年河決白茅隄又北決金隄水勢北侵安山延入會通運河朝廷患之其後脫脫用賈魯言挽河東行十一年四月鳩工七月疏鑿成八月決水故河九月舟楫通行河復故道南注於淮賈魯巧慧絕倫奏功神速前古所未有惜爲會通所牽河必不可北其所復者仍是東南入淮之故道耳使魯生漢武之世則導河入宿胥故瀆當無所難不僅如史遷所謂復禹舊迹者生明帝之世亦必能導河入淸河合漳水至章武入海豈徒與王景等烈所遺不偶功成而亂作遂使庸人以魯爲口實豈不悲哉其時余闕有言南方之地本高於北河之南徙難而北徙易自宋南渡至今殆二百年而河旋北亂者屢河之北則會通之漕廢當築隄起曹南訖嘉祥東西三百里以障遏之予則以爲河北而會通之漕不廢何則漕以汶而不以河也案此言正與當時挽河之議相左蓋河在梁衛之郊北[illegible]爲順其曰南徙難而北徙易是也謂河北而會通之漕不廢則大非明之中葉河屢貫會通[illegible]汶以入海而運道遂淤河之不可北也審矣向使河北而無害於漕則聽其直衝秋張東北入海數百年可以無患矣必歲歲勞費防其北決耶

太史公天官書曰中國山川東北流其維首在隴蜀尾沒於渤碣一行言山河兩戒以河

河南印刷局印

濟爲北紀江淮爲南紀由此觀之禹河從渤碣入海上應天文下協地理漢武帝所謂聖人作事爲萬世功通於神明恐難更改者也殷本紀載湯誥之言曰東爲江北爲濟西爲河南爲淮四瀆已修萬民乃有居四瀆之由來尚矣爾雅江淮河濟爲四瀆四瀆者發源注海者也劉熙釋名曰瀆獨也各獨出其所而入海者也自王莽時河徙千乘入海而北去碣石遠矣猶未離乎渤海也自金明昌中再徙而河半不入渤海矣元至正中又徙而河全不入渤海矣河南之濟久枯河或行其故道今又與淮渾濤而入海淮不得擅瀆之名四瀆亡其二矣萬一清口不利海口愈塞加之以淫潦而河淮上流一時並決挾阜陵洪澤諸湖衝盪高堰人力倉卒不能支勢必決入山鹽高寶諸湖（明隆慶四年萬曆三年是已）而淮南海口沙墊更甚於曩時怒不得洩則又必奪邗溝之路直趨瓜洲南注於江至通州入海四瀆並爲一瀆拂天地之經奸南北之紀可不懼歟欲絕此患莫如復禹舊迹然河之南徙日以遠矣濬滑汲胙之間無河新鄉獲嘉亦無河矣賈讓李垂之策將安所用之或曰金溫撒可喜請於鄉新縣西決河水使東北合清河至清州柳口入海其說不可行乎曰今新鄉流絕欲自武陟之東濬其故道約一百三四十里更於新鄉縣西決河使東北流

鑿生地五十餘里勞費不貲民何以堪且滎陽以下每決必潰右隄未有決左堤而北者疑此地北高南下新鄉縣西之故道去清河雖近未必能導之使北也然則河竟將若之何曰封邱以東地勢南高北下河之北行其性也徒以有害於運故遏之使不得北而南之於淮南行非河之本性東衝西決卒無寧歲故吾謂元明之治運得漢之下策而治河則無策何也以其隨時補苴意在運而不在河也設會通河當時不開則河可以北先期戒民凡田廬冢墓當水之衝者悉遷於他所官給其費且振業之西岸之隄增卑培薄更於低處創立遙隄使暴水至得左右游波寬緩而不迫諸事已畢然後縱河所之決金龍注張秋而東北由大清河入於渤海殊不煩人力也蓋禹河本有可復之機一失之於元封再失之於永平三失之於熙寧至明昌以後事無可為居今日而規復禹河是猶坐談龍肉終不得飽也河之離舊愈遠則反本愈難但得東北流入渤海天文地理兩不相悖而河無注江之患斯亦足矣求如西漢之河不可得即如宋之北流亦不可得而況洚水大陸之蹟也嗚呼禹河其不復矣乎元末河復北徙自東明曹濮下及濟寧而運道壞明洪武初命徐達自曹州東引河至魚臺入泗以通運永樂九年又命宋禮自曹疏河經濮

河南印刷局印

州東北入會通河是北流猶未絕也迨遷都之後仰給於會通者重始畏河之北北即衝之宏治中兩決金龍口直衝張秋議者爲漕計遂築斷黃陵岡支渠而北流於是永絕始以清口一綫受萬里長河之水陽武以下河之所經繕完故隄增卑培薄但期不害於漕則漢之下策轉爲明之上策矣至於黃淮既合則淮以堰閘爲務堰者高家堰閘者淮南諸湖閘口也堰閘以時修固則淮不南分助河衝刷黃沙使海口無壅故潘尚書季馴之言曰河之性宜合不宜分宜急不宜緩合則流急急則盪滌而河深分則流緩緩則停滯而沙淤此以隄束水借水攻沙爲以水治水之良法也又曰通漕於河則治河即以治漕會淮於河則治淮即以治河合河淮而同入於海則治河淮即以治海觀其所言若無赫赫之功然百餘年來治河之善卒未有如潘公者蓋會通必不可廢則河唯宜注淮以入海且自漢以來治河者莫不以分水爲長策唯張戎之論不然潘公深得其意故其治之者有二要一在海口一在高堰蓋河之出海旁口日多則正口日塞淮之會河支流益分則正流益弱皆潘公之所禁也此則近代治河之大略也

銅瓦廂改道始末

咸豐五年六月署河東河道總督蔣啟敭奏下北廳蘭陽汛銅瓦廂三堡漫口奪溜迤下正河斷流漫水微向西趨復折東北注直隸山東境內

咸豐五年七月河南巡撫英桂奏黃水由三堡口門先向西北斜注淹及封邱祥符各縣村莊再折向東北淹及蘭儀考城並直隸長垣等縣各村莊行至長垣縣屬之蘭通集溜分兩股一股由趙王河下注經山東曹州府迤南至張秋鎮穿運一股由長垣縣之小清集行至東明縣之雷家莊又分兩股一股由直隸東明縣南門外下注水行七分經山東曹州府迤北下注與趙王河下注漫水彙流入張秋鎮穿運一股由東明縣北門外下注水行三分經茅草河由山東濮州城及白陽閣集逯家集范縣迤南漸由東北行至張秋鎮穿運統歸大清河入海係從前北岸漫口行走舊路

咸豐五年十月河東河道總督李鈞奏據張亮基咨稱由蘭儀封邱入直隸境前往被水之長垣東明開州境內逐細探量目今節逾霜降黃水長不敵消漸有歸槽之象雖仍分三股行溜而半月來復見改移一股從趙王河斜串洪河歷東明縣城南出開州境直向東北歸入濮州者爲最大其原趨荷澤縣城南北之二股溜勢轉小北股先近城垣今已

河南印刷局印

漸徃西掣

咸豐五年十二月河東河道總督李鈞奏據張亮基咨稱帶同員弁由東明取道濮州山東委員鹽運使陳景亮先經在濮等候水陸分途一自范縣壽張沿黄水順流而下一從聊城陽穀入運河溯流而上至張秋穿運處會齊周歷履勘黄流到此滙成一股決五空橋入大清河直趨東北歸海探量五空橋口門寬九十五丈水深三丈二尺其餘淸黄分洩之口霜後日見消落間多涸露埝底復由大淸河跟査前進經歷兖州泰安濟南武定各屬地面水勢奔騰湍急皆因河身偪窄土崖雖有刷塌寬處尚不過四五十丈現在水落歸槽僅能容納蒲臺以東距利津鐵門關不遠兩岸窪地積水漸寬督飭委員乘駕小舟直抵關外四十里牡蠣口洋面而回目前黄流趨海甚屬暢利此外惟北岸惠民縣白龍灣缺口溜勢約有一分因離海壖較近經惠民濱州出霑化之蔣河門由古久山口入海餘無旁洩海口其濟陽商河惠民陽信海豐濱州等處渟蓄之水緣上游徒駭馬頰諸河形節節淤廢舊時各海口久成高仰暴水下注散漫汪洋低窪處濁變爲淸幾同湖淀一時遽難疏洩查明海口後折回省城繞道濟寧設法馳抵曹縣勘得蘭陽漫口而下大

溜仍分三股曹州府城正值頂衝水至時萬分危險護城隄幾不可保幸官民竭力搶救南二股即從隄外分支一入趙王河在府城東一入陶北河在府城西均與東明洪河一股會合東趨其由菏澤東明交界常嶤廟米口馬莊刷出支河數處漫注定陶曹單城武金鄉五邑現俱淺緩尚未斷流此東省自曹濮至海口各州縣被水實在情形也

同治二年十二月河東河道總督譚廷襄奏稱自咸豐五年河南蘭陽汛北岸潰決由直隸之長垣東明開州至山東之濮州范縣壽張橫穿運河過張秋鎮入大清河而直達利津海口利津海口即係漢千乘故道現在河由西南繞趨東北鐵門關下游深至六七丈去路不爲不暢而上游仍復到處旁溢則因大清河身太窄不能容納之故查附近大清河有徒駭馬頰二河皆禹時行水故道徒駭尚寬深馬頰則大半淤淺必須將此二河設法疏濬庶乎水有分洩不失同爲逆河之意至於張秋以上如濮范壽張等處河流散漫並非全有溝槽察度情形猶如人身之肚腹寬平遼闊隨處停蓄現在旁串定陶曹單一股業已淤墊其正溜全趨濮范等處依然如故若能相地築隄束水自是一勞永逸之方

論曰禹貢言施功所自故以積石爲始漢張騫乃有河源之說孝武以昆侖定之實本於

河南印刷局印

爾雅山海經山海經之說不免夸誕司馬子長非之亦猶西域志梵天之說而酈道元致疑然阿耨達山之爲今岡底斯山則固非誣故言河源必宜折衷於爾雅爲輿地之學又必躬履乃足徵信非目論所可臆斷也張騫而後都實拉錫輩雖往而未究其極至章佳司空阿彌達所得過於前人遠矣故王司寇昶曰元都實未踰星宿海而西康熙中葉之使亦以回部未靖僅至於都實所至之地及是而列史之謂河源者乃定云嗣是與徐張魏諸家言之綦詳則西域志固非盡出無稽而非章佳司空之身歷則眞河源終不可得元脫脫輩於宋史河渠志乃謂蒲察篤實所得過於博望甚哉其見目而不見睫也自西漢而後更歷二千年昭若發矇矣其餘枝說殆不足識然亦或兼收之者以竢後人有以考訂其是非云爾昔禹行河之故道自河陰以西終古不變以東雖周定王及王莽時兩徙然北流大概未改也宋則東流北流爲二派金移其一入淮以病宋也元會通河成北派漸微益以運道兼全爲難至明乃舉全河輸之於淮南行者數百年固且習而安之自乾隆十八年江南銅山決口後則有主北流之議而以孫文定公嘉淦言之最詳其疏曰欲導水者必先相天下之大勢山分三幹水別四支恆山九邊是爲北幹衡山五嶺是爲

南幹華嵩東嶽是爲中幹華山之陽江爲南支秦山之陰河爲北支嵩山之南淮水出焉泰山之北濟水出焉此二水者南不入江北不入河自爲一派臣所言大清河者繞泰山之東北起東阿而訖利津乃濟水之正道四瀆之經流也依古以來與河別流自宋熙寧十年河決澶州分而爲二由南清河入淮即今之河道也一由北清河入海即臣所言之大清河也黃河始奪淮濟之道矣北宋之末南北分流南渡以後河遂南徙史不言其故大約金人塞北流以病宋可想而知也元初河屢北決輒復堵塞大德初決蒲口廉訪使尙文言相度形勢南高北下宜順水性導之北行決口無塞爲便而有司卒塞之後蒲口復決水全北流竟如文言至正初河決金隄等處丞相脫脫用賈魯充河防使大開黃河故道水遂安流賈魯稱善治河乃導之北行未嘗令南徙也明洪武時河決陽武東過開封南入於淮而河之故道遂淤正統十三年河決張秋潰東流入於海景泰時又決張秋宏治時又決金龍口漫長垣趨張秋衝會通河以入海按張秋並非河岸而史屢言決張秋者以黃河北決必經張秋以濟運河史以運道爲重故書決張秋也張秋之東不及百里經東阿之山山下即大清河黃河決水不能逾山東走自必順河北行故凡言決張秋者

河南印刷局印

皆由大清河入海史有詳畧故有書有不書也金龍口決後命侍郎白昂治之塞決口三十六處而河乃入淮又以河徙入淮終非正道乃自東平與濟鑿小金河十二道引水入大清河及古黃河以及海是蓋開減河以入大清河古人有行之者非臣創爲此言也自白昂治後河復決金龍口潰張秋隄以入海命都御史劉大夏治之乃濬賈魯河以殺水勢開新河七十餘里導使南行築太行隄三百餘里用夫十二萬有奇鐵木薪芻不可勝計而張秋之決塞蓋逼河使南行若斯之難也河用全力以爭之必欲北入海人用全力以堵之必使南入淮不能別籌運道而虧國計害民生逆水性以爲此亦可謂拙於謀矣及於我朝運道河流皆沿舊制順治康熙年間河之決塞有案可稽大約決北岸者十之九決南岸者十之一北岸決後潰運道者半不潰者半凡其潰運者則皆由大清河以入海者也蓋以大清河之東南皆泰山之基脚故其道亘古不壞亦不遷移從前南北分流之時已受黃河之半嗣後張秋潰決之日間受黃河之全然史但言其由此入海而已幷未聞有衝城郭淹人民之事則此河之有利而無害亦百試而足徵矣目今銅山決口不能收功上下兩江二三十州縣之積水不能消涸故臣言開減河也上游水減則下游水

徵決口易塞積水早消但河流甚急設開減河而奪溜以出不可不防故臣言減入大清河也大清河能受黃河之半兼能受黃河之全從前屢試之矣况今三冬水涸即使大溜全出尚不敵秋汛之半則大清河之必能容受可以理揆也但自黃河以至張秋皆係平原曠野恐有漫溢然今年陽武方決決出之水現在張秋境內其所經由不過長垣東明一兩縣耳未聞成災也今於陽武之下開減河其道更近則爲患更小可以理揆也現今漕舟未上張秋之運道空閒開隄使河東流初無礙也至於運道尤易爲力漕舟北上即從張秋入河順河北流五六日而可至利津利津去天津之海道不過四五百里且在登萊之上並無險阻臣於乾隆三年由海道運登萊之穀三十萬石於天津刻期可至顆粒無損此親辦之事非空言也即使並此不敢則又有策焉大清河之經流在山東之北運河之南岸現開減河數處皆與大清河不遠又滄州以下之宣惠河臣所疏濬計其下游與大清河甚近開渠通之以達漕舟亦非難行之事也計大清河所經之處不過東阿濟陽濱州利津等四五州縣即有漫溢不過偏災忍四五州縣之偏災而可減兩江二三十州縣之積水并解淮揚兩府之急難此其利害之輕重不待智者而後知也減河開後其

河南印刷局印

至張秋不過經兩三州縣之境計其漫溢之處築土堰以禦之一入大清河則河身深廣石岸堵築之處甚少約計所費至多不過一二十萬而所省下游決口之工費賑濟之錢米至少不下一二百萬此其得失之多寡亦不待智者而後知也是減河之開所費甚少爲害甚輕而決口可塞積水可消漕舟不誤其利甚大臣熟思之計無便於此者特以河流倘無趨北之勢而事同創始故以格礙難行寢其說至四十六年青龍岡漫口嵇文恭公璜亦奏請令黄河北流仍歸山東故道究以水由趙王河歸入大清河入海者止有二分其由南陽昭陽等湖匯流南下歸入正河者仍有八分未能挽使北注復寢其說然孫嵇二公之說嘉道以還講求河流利病者無不宗之迨咸豐五年銅瓦廂之決經直隸山東而由大清河以出利津口正合前說信哉老成淵識爲不可及也時既軍務倥傯度支告匱未暇議及宜南宜北惟山東巡撫崇中丞恩言之其疏曰蘭陽漫口水由曹濮歸大清河入海經歷五府二十餘州縣亟宜本境別籌分洩之路稍紓目前之患月餘以來詳稽志乘博採衆論歷溯河道遷徙之由金明昌五年河徙自陽武而東歷延津封邱長垣蘭陽東明曹州濮州鄆城范縣至壽張注梁山濼分爲二派北派入北清河自東平歷東

阿平陰長清齊河歷城濟陽齊東惠民青城濱州蒲台至利津入海南派入南清河自東平歷汶上嘉祥濟甯會泗水入淮凡歷九十餘年元至元二十六年會通河成而黃河始全注於淮北派者即今漫水由曹濮歸大清河之道會通河即今之運河也河初東徙大清河已不能全受黃流鉅浸分而爲二而自元明迄今五六百年東平南北久爲運道咽喉故治河諸策必以障黃保運爲全局關鍵前河臣靳輔治河書云河決之害北岸爲大然同一北岸而其害又有不同開封北岸一有潰決則延津長垣東明曹州三省胥溺近則注張秋由大清河歸海遠則直趨東昌德州以赴天津而濟衛上下無運道矣今之所患正與前論符合豫省北岸漫口不堵則全黃穿運萬難容受在常時運河盛漲掣洩歸海之路有三其在張秋以上爲東昌兖州府屬之陽谷聊城交界開龍灣減水閘洩入徒駭河東北經博平高唐茌平禹城齊河臨邑濟陽商河惠民濱州至霑化之久山口至海又其上爲東昌府屬之堂博清平交界開魏家灣減水閘洩入馬頰河東北經清平高唐夏津恩縣平原德州樂陵慶雲至海豐之沙土河入海其一則開東阿之五空橋即洩入大清河至利津之牡蠣口歸海三河故道雖未盡湮而間段淤淺由來已久全黃穿運水

河南印刷局印

勢浩瀚之時斷非三河所能發洩若欲因勢利導使橫流別有歸宿則惟循金時故道發
廢運河諸閘一使之由濟寧迤南會泗水達淮徐入海一使之由東昌臨清迤北會衛水
歸天津入海再以東岸之大清徒駭馬頰三河爲旁洩之路由利津等縣入海以分其勢
或可免於旁趨之患洵如此議則棄運河爲黃河現雖南漕改由海道運河暫可勿治而
黃流湍急挾沙而行聽其奔放不待半載恐河身已淤成平陸閘座亦盡傾圮且黃流遷
徙非可以常理測度運河兩岸隄埝向不如黃河金隄高厚堅固每屆伏秋盛漲萬一別
有冲決則修復之費恐與現堵滎口相等而其貽患實有不勝述者臣通盤熟籌舍此別
無分洩之策而此策則關係更易數百年成規非臣管窺輕敢擬議其時方遣張惠肅公
亮基周歷河南直隸山東三省查勘以因勢利導使橫流有所歸宿通暢入海爲歸故崇
中丞雖未顯言宜挽之使南然未嘗以北行爲然也就當時情形而論東省隄防卑薄河
身淺窄容受黃流窒礙實多特南河自道光時河身之淤塞已日甚一日姑無論無鉅款
以爲堵合之用即使堵合強之使南能保其不復北乎故咸豐十年沈文忠公兆霖援孫
文定之言力主北行其疏曰導河始自神禹九河故道皆在山東之德州東平平原直隸

之滄州獻縣東光界中入海之處在今滄州則禹貢之河臨由東北入海也自漢王莽時河徙千乘入海而禹之故道遂失然東漢迄隋唐水患迭見而由千乘入海從無變易迨宋神宗時河分兩派北派由北清河入海即今大清河南派由南清河入淮合淮入海其時猶南北並行南受河水十之七八北受河水十之二三北流雖小猶未斷也至元世祖至元間會通河成始攔河之北行礙運而北流塞矣歷今五六百年河屢北決無不挽之使南說者謂河入運河必挾其水以入海而運道益淤故順河之性則以北出爲宜彙籌運道從無任其北出者惟乾隆朝吏部尚書臣孫嘉淦請開減河入大清河疏言之最詳意欲以大清河受全河之水而運道則擬順河至利津再由利津出海四百餘里達天津否則從滄州之宣惠河開渠通之以達漕舟其說皆足破北行礙運之疑夫河入大清河由利津入海正現今黃河所改之道臣嘗詢之東省官紳俱云現在張秋以東自魚山至利津海口皆經地方官勸築民埝逐年補救民地均滋沃可耕災黎亦漸復業惟蘭儀之北張秋之南則黃河自決口而出奪趙王河沙河及舊引河汎濫平原汪洋一片田廬久被淹浸張秋高家林本有舊堰斷缺過多工程最鉅餘如直隸境之東明長垣在山東境

之菏澤鄆城其培築攔禦又較張秋爲易皆可責成地方官設法辦理臣又聞蘭儀缺口經數年大溜搜擊口門深不可測即欲發帑堵築其開引河之費數十倍於前故臣以爲宜乘此時順水之勢聽其由大清可入海張秋下游至海門既經官民培護不必施工則惟缺口抵張秋數百里間尙易爲辦惟當經費支絀之時豈能議撥帑金河所汎溢無非民間恒產與使惜費而任其久淹何如捐貲而即可樂業應請飭下直隸總督山東河南巡撫東河總督悉心酌議核實查估剴切曉諭令各處紳民力籌捐辦遴派熟諳河務之道府大員會同本處州縣紳士妥爲區畫或應開減河或應築隄埝就逐段形勢分別相度其勸捐及出入銀錢僱夫購料均歸紳董經手毋使委員吏胥干涉以杜需索侵累核定後奏准辦理統於本年霜降水落時一律興工俟來年水漲再加察看隨宜補救果能經過數汛隄岡無虞則從此河慶順軌民樂力田缺額之地丁可復征歷年之賑濟可停止就此裁去南河總督及各廳員可省歲帑數十萬金而歸德淮徐一帶地幾千里向之瀦河不敢開墾者均可變成沃壤逐漸播種升科民生既裕國課自增似亦一舉而兼數善者矣或謂現雖歷年海運而河運亦宜兼顧自元迄今皆因運道而挽河使南今且因

其北出設爲隄防則南道竟廢河運殆不可復臣以爲北出之害恐其淤運河也河之性緩則滯急則通明臣潘季馴之言曰以隄束水借水刷沙爲以水治水之良法今若任其泛濫存沙日多張秋勢必淤墊築隄以束其勢則溜急足以送沙自無淤墊之慮日後仍復河運張秋渡黃當亦可行倘有窒礙則尙有前臣孫嘉淦之二策斟酌用之自不至無辦法何必拘守成局强水就我而不思變計哉疏上雖飭直隸河南山東各督撫暨總河酌議勘估勸諭紳民力籌捐辦終以軍務未平餉需與勸捐兩難請從緩興辦而以勸諭紳民自築土埝爲暫時補救之策及粵捻既平於是議者紛然有若胡侍郎家玉之奏曾文正公國藩聯銜之奏兵部代奏蔣主事作錦之條陳喬勤恪公松年之奏丁文誠公寶楨文總漕彬之奏李文忠公鴻章之奏游侍郎百川之奏張勤果公曜之奏延太僕茂之奏覺羅總河成孚邊中丞寶泉之奏翁司徒同龢潘文勤公祖蔭之奏卞中丞寶第之奏其始則以因勢北行挽回南行二者相持最後乃有南北分流之說主南行者最初爲胡侍郎因滎澤之決而爲言其意以爲滎澤既興辦大工宜趁此時仿古人發卒治河之法令直隸山東河南安徽等省及清淮一帶留而不遣之勇齊赴河干挑淤補隄令河循故

道由雲梯入海江廣之漕運可行直東之水患可紓衆澤口未塞固有裨於衆澤衆澤已塞亦收效於蘭陽疏上交各督撫議會文正以直隸總督領銜會同覆奏以爲不能施行規復二疏詳見工程門胡侍郎先於同治三年有主北行之疏曰竊維黃河故道北流入海經史所載歷歷可稽自宋熙寧十年河決澶州分而爲二一入淮一入濟南北分流迨南渡後河遂南徙論者謂金人塞北流以病宋其說非誣元則時決時塞或北或南明自金龍口再決命都御史劉大夏治之築賈魯舊河以殺水勢開新河七十餘里築長隄三百餘里盡費帑金億萬方能逼河使南行也我朝因之二百餘年河決不一處大約在北岸者居多殆地勢然歟今自蘭陽潰決汎濫於直隸境內已十年矣昔之河身今成平地臣於咸豐七年由清江浦進京經故黃河擺渡處見廬舍儼然竟成村落計上下五六百里節節墊高層層淤塞此而欲循舊道開新河挽狂瀾而東之誠爲難之勢自不若因勢利導由大清河入海之爲便也若謂黃河北徙有礙南漕臣擬於向來漕船渡黃處所開挖橫河一道令南岸清江閘之水與北岸運中河之水互相貫注血脈流通漕船由此經行較爲順利其說既如是故續奏乃以衆工爲發端以發卒治河爲要歸而不復論及南

北行之何宜而文正諸公疏中曰原奏決放舊河掣溜東行一語似言之太易亦所以抵其語舊道開新河萬難之勢之語矣會奏不見文正集似非文正主稿然文正不主南行之意則見於復張總漕兆棟書曰規復河道一事內外多持此議而鄙人竊有所疑未敢隨聲附和今欲挽河而南使復故道無論鉅款難於驟集河內建置田廬難於遷徙自清口以下至雲梯關河身節節高仰難於浚深即使事事竭力爲之而河之北徙南徙似亦有天意主之而非盡人事所可爭此書本因蔣主事條陳而發當時祇交總漕總河東撫議覆而江督不與故以書抵張要足見公意之所在矣蔣之條陳有四而以築銅瓦廂漸復黃河故道爲上其言曰自濬會通河以來斷不容黃河北行咸豐五年黃由銅瓦廂北決貫運漕道久被梗塞人知築銅瓦廂之難而不知黃從張秋貫運設法更覺匪易挑濬舊河實爲一勞永逸之策但就河當心挑土離岸太遠每土一方非工銀三五錢不可若依治河方略舊法擬留河當心左右各開引河一道中間未挑之土三面刷溜久將盡隨水去距岸少近計每方工銀不過二錢二引河各面闊十四丈底闊十丈折中十二丈深一丈每丈應挑土一百二十方即以二引河所挑之土築兩岸之隄應築隄底闊十丈頂

河南印刷局印

闊六丈高一丈五尺每隄一丈亦用土一百二十方自銅瓦廂至雲梯關一千二百里兩岸共土五千一百八十四萬方即以舊有隄岸河身抵算一半尙挑土二千五百九十二萬方再加銅瓦廂決口及挑濬雲梯關海口諸工費需銀固多惠利實溥時同治十年適爲侯家林決口黃水穿運入湖之後而總河東撫議復之言則喬勤恪不主南行丁文誠不主北行喬疏曰山東境內黃水日益泛濫運河日益淤塞治之之法不外兩策一則堵河南之銅瓦廂俾其復歸清江浦故道仍由雲梯關入海一則就黃水現到之處築隄束之俾不至於橫流由利津入海此兩者皆爲正當之策於兩者之中權衡輕重又以就東境築隄束黃爲優自漢至唐河從千乘入海千乘即今利津樂安境正爲漢唐故瀆且淮徐閒舊日河身半成平陸兩岸舊隄多已圮廢欲令河歸故道必先挑濬河身補還隄工計此費極鉅而爲日亦甚長况河之北徙似關天意北宋時河忽南徙百計挽其北行而不能今既北徙恐挽令南行而亦不能若濬舊河築舊隄而河終不能行是虛擲帑金也莫如即就東境築隄束之斯爲順水之性而事半功倍丁疏曰張秋穿運之黃水欲令其即由利津入海就河而論其不便約有數端自銅瓦廂至牡蠣嘴計程一千三百餘里創

建兩隄中間相去約須十里始足爲河槽灘面容水之地棄地甚多居民作何安插沿河州縣城郭皆須遷避難於建置泰山之陰大小溪河背於大清河爲尾閭設隄束黄以後有妨水利河從利津入海鹽船春運艱難灘塌動遭衝沒東綱必至頹廢至於治運濟漕亦覺可慮兩岸置隄先自中間有關運道之處施工范濮舊隄與張家志門南北相去約七八十里灘面太寬仍屬散漫停淤比至沈家口張秋之間陡然收小水勢擡高運口必至奧重南患倒灌北患奪溜借黄濟運日久終歸淤阻假仍以堵合銅瓦廂使河復淮徐故道爲正辦彼此相衡計有數便就現有之河身不須棄地棄民因舊存之隄岸培修不煩創築聽汛裁撤未久制度猶可查考人才亦尚有遺留漕艘灌塘渡黄不虞阻閡綜計修築舊隄修復舊河兩岸長隄費約十之七堵合銅瓦廂口門並挑引河費約十之三前估舊河復故經費共計銀二千二百餘萬兩若酌分四五年次第興辦再行核實刪減估計集事非難廷議飭簡大臣履勘於是命李文忠從長計議乃綜羣說而論水勢之順逆以挽回南行爲不可其疏曰現在銅瓦廂決口寬約十里跌塘過深水涸時深逾三丈舊河身高決口以下水面二丈內外及三丈以外不等如其挽河復故必挑深引河三丈餘

方能吸溜東趨查乾隆間蘭陽青龍岡之役費帑至二千餘萬大學士公阿桂奏言引河挑深一丈六尺人力無可再施今豈能挑深至三丈餘乎十里口門進占合龍亦屬創見國初以來黃河決口寬不過三四百丈尚且屢堵屢潰常閱數年而不成今豈竟能合龍而保固乎且由蘭儀下抵淮徐之舊河身高於平地約三四丈因沙成堆老淤堅結年來避水之民移住其中村落漸多禾苗無際若挽地中三丈之水跨行地上三丈之河其停淤待潰危險莫保情狀有目者無不知之而歲久乾隄即加修治必有受病不易見之處萬一上游放溜下游旋決收拾更難議者或以河北走則穿運爲運道計終不能不挽之南行以會清口臣查嘉慶年後清口淤墊夏令黃高於清已不能啟壩送運道光以後禦黃竟至終歲不啟遂改用灌塘之法自衰浦洩黃入湖湖身頓高運河水少灌塘又不便遂迭次奏行海運彼時河務實有岌岌不可終日之勢今即能復故道亦不能驟復河運非河一南行即可僥倖無事此淮徐故道勢難挽復且於漕運無甚裨益之實在情形也近世治河兼言利運遂致兩難卒無長策元明大河南行始能開會通以運漕至河北徙則無如運何斷難一治而兩全事窮則變變則通爲今之計似不得不出於河自河漕自

漕現在議漕政者鮮不以規復舊制爲望然此兩言可以決耳運河有水可漕無水則不可漕水能分其自然之有餘者以利濟漕船則可漕反是則不可漕同治初年大溜全趨張秋尙能灌運嗣流勢南滾運隄節節穿斷漕船繞坡河至八里廟而黃水不能入運不得已引溝塍兩水逐段倒塘灌放難險已極豈可一再嘗試即運河黃淤歲積歲挑亦難久行若以全漕阻聚河干俟此無常之水其所害又非徒勞費已也若如前人所議漕船順河而東由利津渡海入天津取道固捷但江船不能入河河船不能放洋勢難強爲若倣前代置倉轉般之法建倉設官一不得人便滋流弊而由張秋至臨淸陸挽二百餘里車牛雞兌之煩費陰雨霖雪之折耗何可勝計且北路亦無許多剝船可備接運反覆籌維竟無別有利運之術臣愚以爲天庾正賦惟蘇浙爲大宗國家治安之道尤以海防爲重當今沿海數千里洋舶駢集爲千古以來創局已不能閉關自治正不妨借海運轉輸之便遂漸推廣以擴商路而實軍儲蘇浙漕糧現既統由海運臣前招致華商購造輪船搭運頗有成效江廣等省自軍興後奏改減價折漕民心大定若復徵解本色苦於運費無措加之於民則必滋事變取之於公又無此閒欵似應暫准照章折解仍由各督撫體

河南印刷局印

察情形如可酌提本色若干石即運滬由海船解津較爲便速如京倉尙有不足再隨時指撥漕折銀兩由南省採買運津或派員在天津招商採辦亦尙合算疏上遂有河流既難挽之使南利運又別無長策之論乃命戶部籌畫海運妥議具奏命東撫於張秋利津一帶加培民埝命總河於蘭儀東明一帶鑲築遙隄黃流由張秋穿運而行凡主挽回淮徐故道者無不以阻礙漕運爲詞即主因勢利導亦但就河勢而言而於運道終不能無徘徊却顧之意要不特是時之紛挐莫決也亦不特乾隆時孫嵇二公之說不能行也自順治初年某言官嘗請使黃河北流而楊總河方興即以漕運力格之故其言曰治河即所以治漕可以南必不可以北欲挽北流而趨南自不得不逆其性而曲爲隄防二百餘年皆宗此說牢固而不可奪然曰挽南逆性則於河勢非順亦天下之公言也河自河運自運朱氏雲錦雖嘗發之於嘉慶之時然非海運著效則末由判而爲二建大議者固亦視乎其時哉主南行者不足堅持矣迨光緒八九年間山東之河不治彌甚患乃日亟張勤果公曜奉命查勘乃建南北分流之議其疏曰統計黃河下游形勢總慮盈滿爲災減水分流實爲當今之急蘭儀乾河口從前高出水面計有兩丈近歲以來伏汛漲時僅有

六尺再歷數年誠恐黃流自尋故道衝入南河河身未濬隄岸未修四出奔流猝不及備爲患何堪設想全河挽歸故道勢實難行減水分入南河事尚可辦綜計南河上下游形勢若分黃流十分之三足以容納惟蘭儀乾河口必須橫築大隄緊接兩岸中間建造帶閘石壩分水多寡庶有限制三年之間如有積淤霜清以後酌量挑修議者每謂黃河不宜分流漢時河入千乘王景治之德棣之河播而爲八無河患數百年此分流之明效也近如滎澤中牟豐北以及銅瓦廂前後十六年四次漫口此河不分流不能無患之明證也其建帶閘石壩之法壩一連十二孔每孔口門一丈八尺閘以高出隄岸爲度約計二丈六尺下鋪根脚寬六丈頂面寬二丈四尺石壩以內仍應鋪墊石板以防跌塘之患近壩兩面各築石隄一段與壩相接於是游侍郎百川力主此說而延太僕茂則欲挽復淮徐故道防河之奪運而趨天津治運復漕免致海運爲敵人挾持挑深下游掣引正溜以堵築蘭陽決口否則仿劉大夏濬賈魯河或孫家渡口自上游分水勢以堵決口實則張勤果未創南北分流之議以前游侍郎於同治十一年官御史時曾疏稱南行北行二說利害互見及奉命察看黃河且以挽回南行爲非計其疏曰自來論河者分持南行北行

二說臣詳察形勢河本遷徙無常將來遇伏秋盛漲水復折而東趨自尋故道亦未可知若以人力挽之則勢有萬難者一則北隄決後已衝刷淨盡祇餘東西壩頭相距計一千六百九十六丈有奇就其間築隄節節進占工已甚鉅且全河正流北行中流堵築以圖合龍必震駭非常辦理殊無把握一則故道以旁之沙縱勢難挑動且徐海一帶河身淤出淤地千餘里民已盡行墾種一旦驅而之他民豈甘心失業南行之說應請毋庸置議追見張勳果分流之議則謂祇用徒駭分水實不能容納與其遷就但顧目前終歸無濟曷若兼權熟計早爲久遠之圖既主分流並非掣動大流全入南河不過就原有之河槽量加挑濬於南民田廬毫無妨礙且建造帶閘石壩分水多寡自有限制禦灾捍患之計莫要於此蓋與胡侍郎之前後自相抵牾者畧同張勳果疏上後即交江豫各督撫會議江督曾忠襄公國荃但以舊河湮廢舊隄坍廢利病未能逆覩爲言而覺羅總河成孚豫中丞寶泉則以築壩窰碍既多分流毫無把握合詞覆奏其說至詳已見工程門廷議綜羣說而折衷之亦謂攔河建閘未可輕試特以張勳果續奏援引姚太僕挽回故道撙節估計分年籌辦之法爲可行諭飭再議議未及定則鄭州告決水由陳州以入淮於是南

行之說盛起翁司徒同龢潘文勤公祖蔭乃會奏論之其疏大意以爲黃水南注有一大患五可慮而鄭重言之曰黃河自大禹以後行北地者三千六百一十餘年其南行者五百一十九年是黃河由雲梯關入海本不可謂之故道即使指爲故道而現在鄭州決口由賈魯河入淮直注洪澤湖形如釜底北高南下斷不能導之使出淸口其去故道尚不止百餘里安能挽既倒之狂瀾循久淤之舊轍乎故曰現在水勢斷不能復入黃河故道也或者曰山東數被水害遂以黃河南流爲幸不知河性利於北行自金章宗以後河雖分流大德中決蒲口至正中決金隄有明一代決而北者十四次決而南者五次順治康熙以來決而北者十之九決而南者十之一況今之淮水本無經行之渠黃水入淮安有歸宿之地下流不得宣洩上游必將復決決則仍入山東境內齊魯之間安能高枕哉故曰山東之患仍未弭也而湘撫卞中丞寶第則疏稱黃河之水奔激無定當使南北分流挽之順流歸海可免漫決之患黃水經行五省之地入海之路祗有三途一由天津之磁石一由山東之利津一由淮北之雲梯關天津畿輔重地無引河趨海之理雲梯關淤上舊黃河現聞兩江督臣籌議興挑如能一律深通直接海口是南趨之水業有歸路而利

河南印刷局印

津一途即漢之千乘宋之東流金之北派自漢迄今實皆由此注海不若由今之石橋決口北達銅瓦廂以東循漫河故道開濬一河引歸大清河淪舊路分溜由利津入海順其勢可收一勞永逸之效分其勢不至全力注淮并於淮北歸海之路多開引河如劉老澗迤下之六塘等河雙金閘迤下之鹽河篨濆河皆受中運河之水下達海口又如兩江督臣所議開成子碎石兩河尤爲洪澤湖上下游分洩要路均應一律興挑是疏雖曰分道疏濬而與張勤果分流之說又不甚同則議愈多而愈歧也迨合龍後仍沿北行之故以迄于今而士大夫無復議及之者亦明於勢之不可復强也蓋自銅瓦廂決口以迄鄭工合龍中間數十年歛精研思相應以辨難之文者累牘連篇皆一時之名公鉅卿也每一議起中朝必綜羣說思求一萬全之策亦深憫此黎民之無告而必欲奠安之迄不可得則兩害相權而取其輕未肯鹵莽而貽他日不可復之悔也夫主南行者宋之同河之說也主南北分流者宋之二股之說也當其建議之初未始不持之有故而言之成理然欲於實事以求其是則未見說之可恃也觀於鄭工決後奪流而南一年有餘僅僅自淮入湖而止始終未聞自尋入海之路則雲梯關之不可復出昭昭然矣豈惟全河南行之不

可即分流十分之三又豈能望其必達哉山東督墊歲羅備禦無術丁文誠之斷斷相持固守土之義之出於不得已然數十年來雖潰決連連而所謂東綱必平驟勝者終亦不驗故北行之說實勝南行胡氏渭畢生致力於水經之人其言河流變遷之由至詳且慎而終以北流為歸孫稿曾李老成謀國之重臣也胡通儒也味其言亦足決指歸矣故備錄而論及之南行北行之道十之七八無涉於豫特下流苟有壅閼則上游實受其病亦猶河源實在塞外而自滎澤出山始猛豫雖居秦晉下而所宜窮究以致詳乃急於秦晉如人一身豫居腰腹其頂趾之何若其利病皆中之於腰腹非好為詞費也入河巨川昔言伊雒瀍澗今則沁為最著張清恪公著居濟一得言之曰沁河發原於山西由河南武陟東四十里木欒店由西北而東南匯入黃河黃河之水至大而加以沁河之水尤大是以其害為最甚蓋專言黃沁交會處也要其出濟源而歷河內其所獨行衝齧悍猛亦至可駭其為安危幾與黃流埒則范氏秦恆之說至審矣

豫河志　卷四　二十

豫河志卷五　工程上之一

順治元年夏黄河自復故道

順治元年秋溫縣河北隄塌三十里村落盡沒

順治二年河決考城縣之流通口次年塞之

順治二年荊隆朱源寨口決挾汶水由鹽河入海始築荊隆口隄

順治三年流通口決水北徙午溝至徐州一帶河流涸竭

順治五年河決蘭陽

順治七年河決封邱縣朱源寨築荊隆口隄

順治八年築祥符單家寨隄封邱李七寨隄陳橋隄鄭家莊隄

順治九年河決封邱大王廟口沖毀封邱縣城水從長垣趨東昌壞安平隄北入海大爲漕渠梗河督楊方興巡撫亢得時起丁夫治之旋築旋決乃於丁家寨鑿渠引河殺其勢祥符時和驛築隄又築常家寨隄商邱王家壩隄考城王家道口隄

順治九年河決祥符之朱源寨全河北徙浚支河以分之越五載始復舊

河南印刷局印

順治十年武陟沁水決浸及修武

順治十年築祥符黑岡隄又築回龍廟隄又築李七寨隄又築原武趙家莊隄蘭陽板場隄及月隄又築考城芝蔴莊隄

順治十一年築陽武薛家樓隄商邱夏家樓隄虞城土樓隄考城王家道口隄

順治十二年築祥符守公寨隄回龍廟月隄陳橋隄蘭陽板廠隄陽武潭口寺隄包家廠隄及封邱中灤城隄決口始告成又築考城王家道口隄武陟沁河傅村隄

順治十二年大王廟決口塞

順治十三年築祥符黑岡隄清河集隄蘭陽艾家樓隄陽武月隄又築隄壩商邱王家壩虞城黃堌壩又築土樓隄

順治十四年河決祥符之槐疙疸

順治十四年築祥符槐疙疸隄清河集隄魁星樓隄陳留孟家埠遥隄月隄蘭陽劉家樓隄儀封三家莊隄陽武隄封邱大王廟樓隄滎澤南岸隄商邱王家壩隄

順治十四年黃河南徙陳留孟家埠口潰決於隄南築縷月隄五百丈復築隄一千二百

丈陞禎埘埇水衙遥隄知縣張重潤濬河一道引河折入新河南面遂免冲決

順治十四年浚儀封縣三家莊河一千丈以殺北來水勢而濆渡河涸爲田

順治十五年築祥符黑岡隄常家寨隄儀封三家莊隄封邱陽家樓隄大王廟隄考城歎堌寺隄

順治十五年河復決陽武縣城南慕家樓築河隄賴以無患

順治十六年築祥符陳家寨隄賈台隄儀封蘇家樓隄考城羅家口隄考城王家道口壩

順治十七年河決陳州郭家埠

順治十七年築祥符班家埠隄魁尾樓隄儀封楊家堂隄封邱新龍口隄禹邱蘇家樓隄考城王家道口壩

順治十七年堵塞槐疙疸又河決考城之羅家口隨塞之

順治十八年築祥符王爐集隄中牟遥隄儀封楊家堂隄考城王家道口壩

康熙元年六月開封黃練口河決祥符中牟陽武杞縣通許尉氏扶溝七縣田禾盡被淹沒七月淇縣河水泛濫入御河浸沒民田甚衆

河南印刷局印

康熙元年築祥符狼城岡隄馬家店隄陽武姜家莊隄原武趙家莊隄修商邱高家莊隄虞城待賓寺隄

康熙二年築祥符單家寨迤隄青谷堆擬隄瓦子坡隄又與中牟陽武會築隄岸又築陳留李家寨隄蘭陽常家樓隄王家樓隄原武趙家莊隄

康熙三年河決杞縣

康熙三年築祥符黑岡月隄陳留貫台隄蘭陽銅瓦廂隄儀封蔡家樓隄虞城羅家口樓隄

康熙四年四月河決虞城永城夏邑三縣廬舍田禾多被淹沒

康熙四年築封邱大王廟隄

康熙五年築祥符魁星樓隄黑岡口隄封邱于家店月隄儀封石家樓月隄

康熙六年築祥符黑岡隄中牟黃練集隄陽武穆家樓隄儀封石家樓隄

康熙七年築祥符一覽台隄聶家寨隄黑岡隄魁星樓隄陽武趙家寨月隄蘭陽谷家營隄儀封石家樓隄小宋集隄

康熙八年築祥符瓦子坡隄魁星樓隄陳留梁家寨隄中牟原敦寺隄蘭陽梁家埠隄谷家營隄

康熙八年河決三汊口

康熙九年築祥符李七寨隄守公寨隄中牟小潭溪隄原武廟王口隄趙家莊隄封邱大王廟隄河內仁孝寺隄武陟木欒店隄

康熙十年築祥符黑崗隄陳橋隄中牟小潭溪隄儀封石家樓隄鄭州王家樓隄商邱蔚家閣隄考城芝蔴莊隄河內武陟各築沁河隄

康熙十一年虞城河溢

康熙十一年築祥符黑崗隄白石崗隄陳留黑家寨隄中牟辛莊縷隄陽武潭口寺隄封邱大王廟隄儀封石家樓隄蔡家樓隄商邱蘇家林隄考城芝蔴莊隄河內大馬口隄武陟大源村隄

康熙十二年築祥符回河寺月隄陳留赫家寨隄中牟陽武會築隄陽武又築王家店隄封邱築大王廟隄儀封築蔡家樓隄商邱築禹王廟前隄虞城築劉家莊隄考城築史家

河南印刷局印

樓等處隄

康熙十三年築祥符貫台隄陽武張家莊隄儀封蔡家樓隄考城芝麻莊隄

康熙十四年築陽武王家店月隄

康熙十五年築蘭陽銅瓦廂月隄

康熙十六年築中牟小潭溪月隄蘭陽銅瓦廂月隄儀封堌陽集月隄商邱陽家堂月隄虞城周家樓隄

康熙十九年築祥符白石岡隄中牟小潭溪月隄及格隄商邱徐家莊月隄又築虞城隄

康熙二十一年築祥符回河寺月隄儀封堌陽集月隄考城王家道口壩

康熙二十二年築祥符隄陳留陽橋隄中牟隄原武馬家渡月隄張家水口隄陽武脾沙岡隄又南岸隄蘭陽孫家莊月隄又北岸隄儀封陸家口隄又北岸隄又築鄭州隄又與榮澤會築沈家莊月隄商邱築傅家莊月隄考城築小閻家集隄

康熙二十三年築原武封邱蘭陽儀封榮澤商邱虞城考城隄

康熙二十四年九月河道總督靳輔奏前赴河南確勘黃河兩岸工程目前至急之務如

考城儀封等縣應築隄工共長七千九百八十九丈又封邱縣荊隆口應築大月隄三百三十丈又滎澤縣應修築埽工二百一十丈此工告成不特河南無虞實可爲江南保障下部議行

是年築虞城韓家樓隄

康熙二十五年築商邱傅家莊月隄

康熙二十六年陽武鄭州會築裴昌廟月隄

康熙三十一年蘭陽儀封與長垣會築月隄

康熙三十四年築虞城黃堌壩隄

康熙四十四年加幫接高祥符陳留蘭陽三縣連界之回回寨與韓羅灣大隄二千一百三丈

康熙四十六年五月諭河南黃河上游工程關係最爲緊要伏汛水長著加緊修防其黃堌壩工程更爲緊要宜著賢能官員前往加意防險相度形勢修建挑水壩挑溜開行總河張鵬翮遵即動帑修建挑水壩一座并下護涯埽七十丈歷年委官駐防巡撫汪灝題

河南印刷局印

准歲修

康熙四十八年六月大雨河漲漫溢蘭陽縣北岸雷家集隄工二十六丈儀封縣北岸洪邵灣隄工二十一丈水驛隄斷口四十三丈八尺張家莊隄斷口二十五丈巡撫汪灝督官搶築

康熙四十九年三月部覆總河趙世顯疏稱河南虞城縣黃堌埽新建挑水壩一座甚有裨益因對面沙灘漸次西塾大溜直冲挑水壩之上壩受敵崖岸坍卸須於挑水壩之上再建挑水壩一座挑溜開行其險工迤裹當日原有舊決河口一道雖有月隄爲內障其如隄根正坐河形之內應用柳束塡墊壓土堅實月隄之外又有遙隄一道日久殘壞亦應修補至險工埽臺裹戗宜幫寬厚又新建挑水壩之處隄工單薄亦宜加幫又歸德府虞城儀封蘭陽祥符卑薄隄工俱應加幫高厚又鄭州至滎澤縣隄工甚處民築小橫隄一道卑薄之甚恐黃河水長必至內灌應加幫高厚又武陟木欒店迎著沁黃交會處隄工卑薄應幫高厚再接瓶三百丈又荊隆口月隄之外又有大黃隄而踐路之缺口宜補又蘭陽與長垣交界隄工應加高子隄三尺蘭陽子隄當年瓶築虛鬆又兼地勢卑窪應

幫築堅實袁家寨邵洪灣水驛張家莊舊隄止高七八尺杜家樓前隄止高七尺均應加高三尺又楊家堂韓李寨隄應行幫寬凡黃河兩岸舊有月隄格隄護城隄殘缺之處均應幫築以上工程撫臣鹿祐情願率屬捐俸修築等語議得河南隄係巡撫就近料理如遇水長即飭管河等官協同地方官合力搶護如有仍前怠玩貽悞河工者將管河地方官照黃河例議處仍查明年限著其賠修

康熙六十年八月河決懷慶府武陟縣之詹家店馬營口魏家口等處經直隸總督趙宏燮奏河南武陟縣等處隄工決口三處兼以沁河之水由胙城縣入滑流至長垣東明遣侍郎傅爾賽查視據奏河南武陟縣黃沁之水衝決隄岸由長垣流入山東張秋鎮等處九月九卿議堵築黃河決口引沁入運諭大學士等堵築黃河漫溢工程此第一緊要之事著左副都御史牛鈕侍講齊蘇勒員外郎馬泰前往監修其堵築時宜先於上流建挑水壩以減水勢俟沙淤後再漸次加築則漫溢之勢自平而堵塞不甚費力矣其建挑水壩之時應挑引河黃河有曲折之處即成洲渚務詳勘酌量取直挑成引河俟黃河決口堵塞報竣後再引沁濟運經巡撫楊宗義率河官駐工堵築於九月初九日將詹家店魏

家口塞之奉差閱視河工原任知府陳鵬年奏河臣趙世顯委臣勘明河南武陟縣釘船幫決口臣查看黃河老隄衝開八九里見今大溜直趨決口約五六分老河內止存四五分急應堵築臣愚以爲對岸上流之廣武山下淤灘上另開引河一道使溜南趨再於決口稍東逢灣取直開一引河止長三里餘引溜東行仍歸正河方可漸次堵築又吏部尚書張鵬翮等奏臣等遵旨由山東張秋循流而上一一查看黃河決口在武陟縣之釘船幫支河口由北衝入詹家店之魏家莊及馬營口今副都御史牛鈕會同河南巡撫楊宗義於支河築攔水壩魏家莊已經堵塞馬營口之消落指日成功其引沁入運之處臣等至武陟縣相度地勢西北高而東南下沁隄內地較沁河涯低有一丈從此而東則地形愈低若引水從高直下恐牽動全沁灌入內地而黃河隨其後亦未可定得旨前因運河水小引沁入運或有裨益是以下旨令張鵬翮等回奏甚屬明晰即令照伊所奏不得稍有更改又工部議覆副都御史牛鈕等奏沁黃兩河交匯之處至詹家店共十八里原無隄工遇沁黃兩河之水齊發水勢彼此相激大溜退回每於此處泛溢且河岸高不過三尺兩河之水相激以致河底漸長河岸卑矮應自沁河隄岸接至滎澤之大隄建築遙隄

以護禦沁黃兩河之水方無退囘之虞得旨依議速行總河趙世顯先於十月奉旨派出熟練河務官員多備物料工役遂率江南各營弁並椿埽手與民夫協同巡撫并力在李先鋒莊建壩堵築適欽差牛鈕齊蘇勒等至傳諭在釘船幫支河口兩岸搶下攔黃埽壩遂於十一月十二日合龍即於南岸壩尾接築子堰一道至秦家廠止而李先鋒莊亦於十二日合龍馬營口於二十九日合龍

康熙六十一年正月河冰溢水復漫溢釘船幫南壩尾接至秦家廠子堰決斷二十餘丈又將新築月隄塌斷水由李先鋒莊壩下直遏馬營口隄工決開二十餘丈署理總河陳鵬年建議於廣武山下王家溝挑挖引河一道使水由東南入滎澤舊縣兩入正河又於沁河口東建挑水壩一座水勢始平於十二月相繼堵塞之又於馬營口築大月隄一道自決口東滎澤大隄起至詹家店新築隄頭止又築滎澤大隄以爲遙隄四月於儀封縣白家樓北岸挑引河長七百丈虞城縣黃堌壩對岸挑引河長一百六十丈河流通暢

康熙六十一年六月初四日夜沁水暴溢衝塌秦家廠北壩壕八丈南壩臺九丈五尺邊埽加廂埽卸六丈又釘船幫大壩蟄陷四十五丈搶築將成至初六日復陷幸王家溝引

河南印刷局印

河汛水刷寬一百餘丈全河盡注不浸馬營決口總河陳鵬年巡撫楊宗義於廣武山官莊峪挑引河一百四十餘丈以洩水勢至九月秦家廠南壩甫合龍次日又衝北壩尾決開一百餘丈大溜歸馬營口亦漫開八丈然底埽未動至十二月初八日塞訖忽冰淩水積將壩尾後埽隄面漫水二十餘丈馬營口亦漫開八九丈遂併力搶築至二十一日工竣十二月總河齊蘇勒奏秦家廠雖合龍斷流現今細水透露正在搶救但細看情形地勢卑窪非宜建壩之區况兩岸無倚孤立於巨浸之中勢甚危急故必恃前後有助方能善後宜急築背後土隄以斷其流多下護壩邊埽以敵其冲使前後有恃併力捍禦此一定之法也臣目視危急不敢遠赴新任隨會撫臣楊宗義帶同管河道等官議定先治其急星夜將秦家廠攔河大壩加廂高厚以捍水勢將馬營口冲斷之隄於水中接合兩頭以絕其流但時值隆冬土凍難施因時迫事急不得已設法挖凍赶修以防春汛其餘修防俟春和土化次第修理庶保萬全也

雍正元年正月總河齊蘇勒報秦家廠馬營口隄壩完竣河歸故道

雍正元年二月總河齊蘇勒奏前月雖接隄斷流大溜全歸正河尤宜於馬營口一帶舊

隄普律加高培厚於後面添築撑隄一段格隄一道以爲重門保障又將秦家廠前埽壩前面下埽簽樁層層蹦墊以防頂冲之患再於後面築戧隄月隄俾有倚恃之固今已完工其建築十八里之遙隄併趙莊詹家店等處埽壩現今人夫協力數日即完但新築各項隄埽應設堡夫防守河南向無額設樁手埽手凡遇工程俱係現僱土人做法顛倒徒費縻費臣於南工選千總二員率領諳練河兵八十名暫駐工所以防伏秋兩汛以便教習土人按法修防庶無貽誤

雍正元年三月總河齊蘇勒奏河自滎澤以下陳留以上長二百餘里向因武陟決口大溜趨正河者僅止四分水力微弱不能攻沙以致河底淤墊已經二年今全河下注兩邊河岸有僅露尺許者有與水面平者更有槽不能容漾出旁溢直至兩岸隄根宛若湖淀者北岸陽武祥符封邱一帶有岔流三道各寬十五六丈深六七尺逼近隄根繞行五十餘里始歸正河南岸由清佛寺地方刷成支河一道寬一百餘丈深一丈四五尺滑隄下注至四十里始歸正河伏思黃河不宜兩行兩行則勢緩勢緩則沙停沙停則河底淤高河底淤高則出槽旁溢致有浸漫之患向年馬營隄原由支河冲刷所致深爲可慮臣同

河南印刷局印

撫臣嵇曾筠詳加商定將兩岸應築子隄八段共長九千二百八十八丈頂寬一丈五尺底寬四丈五尺高八尺應築隔隄二段共長七百八十丈頂寬二丈底寬八丈高一丈二尺倘俟題請開工恐緩不濟急故一面發帑修築一面具題俟工完之日聽撫臣將做過工程用過錢糧核實造冊請銷

雍正元年六月河南巡撫石文焯奏稱竊查六月初八日據把總張朝弼稟報本日河水縣長黃河南岸中牟縣地方十里店西衝開大隄水向南行飛報前來臣即刻委開歸道陳時夏督同開封知府王燕星夜前往查勘并於司庫動發銀三千兩辦料去後初十日據開歸道陳時夏馳回面稟查勘得十里店西沖開口子二處一在上流者刷寬十一二丈一在下流者刷寬十六七丈臣伏查黃河水勢因北岸秦家廠等處工程完竣之後始復歸正河尚未刷深茲五月二十七八六月初二三等日大雨連綿沁黃並漲水勢陡長一時不能疏洩遂致衝缺現委該道等督令相機堵塞臣於武闈事竣即星馳前往料理

雍正元年六月河南巡撫石文焯奏稱竊查豫省黃河自秦家廠決口奪流河身淤高漫溢堤岸一入伏汛在在危險今北岸馬營口等處自六月初一等日沁黃並漲以致隄塌

多有塌卸蟄陷當即動料晝夜廂墊搶護無虞又北岸桃園口等處有支河三道引溜北趨隄根勢甚危險已經動支庫銀責令北河同知潘尚仁等於迎溜處下埽保護再南岸蔣家寨等處水逼大隄工甚危險隨飭南河同知劉永錫等備料搶護以上各處險工俱已搶修防護無虞其南岸中牟縣之十里店婁家莊二處衝開大隄漫溢之水由十里店西南入賈魯河流至朱仙鎮入洪澤湖惟朱仙鎮人煙湊集河身淺窄遂致出槽泛溢鎮上房屋間有被水淹浸晚種禾豆不免少有傷損已飭行該府縣確查加意撫恤毋致失所臣武陟事竣親赴衝溢處所查勘現因伏汛之內水勢時長時消俟水勢漸次消落便可相機堵閉至奉旨交員外郎祁秉圭等賫到嵇曾筠條奏會商武陟工程善後事宜臣經咨商河臣齊蘇勒嗣准咨覆以月隄內不必下攔水埽止應將大月隄靠小尾隄加幫高厚二舖營迤西應築格隄一道確估興築等因臣隨檄飭 河道發銀辦料興築在案奉旨遣兵部侍郎嵇曾筠會同總河齊蘇勒巡撫石文焯駐工修堵

雍正元年六月河南巡撫石文焯奏稱竊中牟南岸十里店隄工衝決蒙諭不限多寡一面動用作速堵築一面奏聞復命嵇曾筠率領官員助臣與齊蘇勒料理臣現在駐宿工

河南印刷局印

所親督河道張杓等相機堵閉上緊趲修數日之內十里店西口可以先竣至南岸滎澤
縣迤西原無隄岸今河身淤高恐水發泛漲河臣齊蘇勒臨工親勘已彙入加幫案內估
計築隄工尚未竣於六月二十一夜黃水陡長將新築隄工汕開十餘丈水勢南趨以致
朱仙鎮水勢復長比前次更大四尺有餘兩岸房屋土牆被水淹浸坍塌甚多臣已委布
政使牟欽元親往查勘加意撫恤毋致失所再六月二十七日據懷慶府通判高士鑰等
申報本月二十二日沁黃並漲水從姚其營無隄處漫灘而來至馬營詹家店之西新隄
頭漫溢而過汕塌十餘丈又梁家營南二鋪營南水從隄根漏入漸塌二丈有餘又馬營
前大壩漫溢水勢直浸後大壩等情臣即委管河道張杓上緊搶修并動發司庫銀五千
兩解交應用臣現住十里店俟南岸決口工程就緒即星赴北岸相度情形親督修理奉
硃批今年河決實屬意中之事此時不過隨宜捍禦苟安目前而已斷不能奏一勞永逸
之效茲特命張鵬翮前來會同爾與齊蘇勒稽會籌熟籌深計久安長治之策待秋汛後
須大費一番經營也
雍正元年六月築太行隄

雍正元年七月河南巡撫石文焯奏稱竊查六月二十二日黄沁水長交會泛溢汕刷隄壩情形臣一面具摺奏聞一面即親往查勘馬營地勢窪下水從姚其營等處漫溢致將馬營等處隄壩汕刷過水漫及原武大溜仍走正河此處並未成流非從前衝決可比是以秦家廠等處工程俱平穩無虞今水消落數尺各決口悉已斷流涸出口岸現在備料募夫臣會同侍郎臣嵇曾筠細加相度務期補築堅固再中牟十里店漫口二處正在上緊施工俟堵閉合龍另摺奏報至滎澤新築隄工漫開之處已撥同知劉永錫搶築堵閉

雍正元年七月修幇陽武縣之大濱中家潭朱家潭趙家潭琵子岡靛池閣張家莊七處隄工

雍正元年七月兵部左侍郎嵇曾筠奏稱竊臣欽承簡命堵築河南中牟縣決口於六月二十二日起程行至彰德府境聞北岸又復漫溢隨星馳前進於七月初四日至武陟縣木欒店地方初五日閲看姚其營至馬營漫口共十一處即於初六日由沁隄頭閲看秦家廠一帶隄埽工程渡河由滎澤至中牟十里店西臣查得西決口八丈現在廂築壩臺漸次下埽東決口二十餘丈亦現在修築壩臺其勢湧急俟水溜稍減即便上緊催趲下

河南印刷局印

埽堵塞派委隨帶官祝兆鵬朱藻李世傑在西口高文愷張近光馮敬玉朱于宣拖克拖海在東口併協同印河各官無分晝夜加緊防護相機堵塞不得再有汕塌

雍正元年七月兵部左侍郎嵇曾筠奏稱中牟縣漫決口岸其西口加謹進埽已於本月十四日卯時合龍現在廂墊邊埽建築月隄以資保固東口亦現在相機進埽俟水勢稍減即使催趲堵築務期作速修成東口於十一月合龍斷流於背後建築月隄靠隄以資鞏固

雍正元年七月兵部左侍郎嵇曾筠奏稱竊臣欽承諭旨堵築中牟決口查中牟縣屬官隄危險之處尚多臣一面嚴飭印河各官加謹巡防凡有險要即便加幫修治以爲未雨之防查豫省河工廢弛已久兩岸官隄約長八百餘里河水旁洩則河身漸高河灘淤澱則河隄卑薄一遇伏秋暴漲在在危險斷非簣土束薪略加修葺便可濟事但印河各官因向無額設歲修錢糧未免因陋就簡苟安目前及至衝決則募夫辦料費用浩繁而莊村田廬之淹沒又不可勝計臣愚以爲與其補救於後費多而工難毋寧預防於先費省而工易伏乞敕下河撫兩臣確查豫省兩岸官隄估計夫料於秋汛後遴委幹員協同辦

理普律加幫寬厚堅實其險要處所應如何分別修築工完之後應如何看守防護聽河撫兩臣詳加酌議務期周備完固縱使汛水漲發庶幾有備無患於河道民生均有裨益

雍正元年八月兵部左侍郎嵇曾筠奏稱查釘船幫挑水壩應加保固但建築格隄若從秦家廠北壩尾起誠如聖諭必有兜水之處應即從釘船幫壩尾接至遙隄庶河水有所捍禦姚其營一帶村莊可賴保全再查秦家廠月隄在外幫築工價似屬稍減但每年修理爲費亦多兀兩面皆水龍口門埽工幾及百丈沁黃交漲時不無意外之虞若從中塡實隄工大有倚靠人力容易施展洵爲一勞永逸之功

雍正元年九月兵部左侍郎嵇曾筠河南巡撫石文焯奏稱雍正元年九月二十二日據南河同知劉永錫呈稱本月二十日起北風大作水乘風勢漫溢鄭州來童寨民隄直射南岸中牟縣楊橋官隄搶護不及於二十二日子時漫開又據陽武縣丞謝球報稱鄭州知州張鉉誤聽來童寨居民於本月二十一日夜挖陽武民隄放水致漫溢楊橋官隄等因到臣臣等隨即親詣勘視缺口約寬十餘丈即委郎中祝兆鵬管河同知劉永錫等率領南工千把總河兵加謹相機堵築詳勘情形來童寨民隄決口之水自西北順流而下

河南印刷局印

居十之八九陽武民隄搭口之水自東南倒流而入居十之一二俱注射楊橋官隄以致漫決楊橋在十里店上流其漫水俱從賈魯河南下現今秋禾已經收穫不致爲患河撫督官分堵陽武決口於十月合龍斷流楊橋決口於十二月合龍並建築月隄靠隄以資捍禦

雍正元年築祥符南岸隄七百丈北岸隄一千四十三丈築封邱隄七十丈築格隄一道長一百九十三丈其餘隄工因水估停修

雍正二年正月兵部左侍郎嵇曾筠疏奏沁黃交會姚其營秦家廠一帶皆屬頂冲但此係下流受患其上流必有致患之由臣由武陟至孟縣所屬皆有沙灘將大溜逼趨南岸至倉頭對面又橫長一灘自北岸伸出使全河之水直趨廣武山根以致土崖汕刷至官莊峪則大溜又爲山嘴所挑直注東北於是姚其營秦家廠遂爲頂冲矣臣以爲下流固須堵築上流尤貴疏通應於倉頭對面所長橫灘開引河一道直接中泓俾水勢順流由西北迤達東南不致激射東北則姚其營秦家廠可免頂冲之患再釘船幫大壩甚屬有益但孤立水濱惜少輔佐須廂建雁翅以資幫護更於大壩上下相度地勢添建挑水壩

二三座挑溜開行應秦家廠頂冲之勢可減埽工藉以永固矣

雍正二年五月副總河兵部左侍郎嵇曾筠奏稱上年奏請挑挖倉頭對岸引河已於本月十六日竣工候水長風便之時即將河口相機開放俾由西北順達東南以緩北岸頂衝之勢其釘船幫壩尾格隄護埽現在督催晝夜廂築用資捍禦至逓隄秦家廠馬營等處工程亦俱上緊趲修

雍正二年八月修築鄭州石家橋迤東埽工一百二十丈復於埽灣接廂防風一千一百一十丈並下水頭接築磯嘴壩一座又於中牟縣拉牌寨廂埽工長二百五十丈下護隄埽長一百六十丈並建磯嘴挑水壩二座又加幫斷隄至大隄長二十五丈以捍大溜頂冲又修築陽武縣黃河北岸隄工及祥符珠水牛趙二處隄工於釘船幫挖槽下護岸埽加廂壩以禦沁黃冲刷

雍正二年九月河道總督齊蘇勒副總河兵部左侍郎嵇曾筠奏稱歸德府屬之虞城縣於八月初四日因黃家莊民隄漫溢將南岸待賓寺迤西大隄漫決丈餘幸內有月隄爲重門保障得以捍禦水勢並無泛溢該縣令錢啟心等捐辦料物率領人夫奮力搶築隨

即於八月十五日堵閉完工又令於新壩之外幫築戧隄一層以保永固

雍正二年十月副總河兵部左侍郎嵇曾筠奏稱倉頭口引河業經汕刷深通水勢順流自西東注而北岸釘船幫秦家廠一帶俱已淤成灘地

雍正二年於釘船幫北壩尾直對姚其營北首接築隄工一道長八百七十五丈秦家廠月隄內填實過閘闌長三百七十丈加幫秦家廠北壩尾隄長七百十三丈加幫秦家廠靠隄并南壩尾隄長九百九十一丈加幫詹家店并馬營口隄長二千六百九十七丈又加幫馬營口格隄長一百九十三丈又加幫遥隄自沁河隄頭起至滎澤大隄止長五千八百六十一丈又馬營口詹家店後接築格隄二道共長七百四十三丈

雍正二年加幫南岸隄工共長七萬六千四百餘丈北岸隄工共長四萬八千一百餘丈

雍正三年二月副總河兵部左侍郎嵇曾筠奏稱滎陽縣南岸回回寨對過北岸官路李家地方淤長大灘直出河心以致河勢叢趨南岸雍正二年伏秋水漲衝射回回寨老君堂等處沿河一帶皆成巨浸村莊茅屋多有被淹隄根近溜甚屬危險且係單隄並無外護切近省城關繫甚重臣乘船往來細看北岸形勢並訪之土著士民知北岸官路

李家一帶原係舊日黃河故道歷年淤塞以致灘嘴日長河流南射臣詳加勘視應由北
岸舊回回寨起至官路李家舊河身處挑挖引河一道引溜直走俾成東西之勢不特老
君堂等處居民免遭水患耕鑿可安而隄工亦得保固於城社民生均有裨益隨經檄飭
管河道廳印各官公同丈量計長三百四十丈估計土方工價共需實銀三千二百兩有
零應請於司庫動用[illegible]銷
[illegible]齊蘇勒奏稱竊照豫省祥符縣舊回回寨挑挖引河經副總河
嵇曾筠摺奏奉旨令與臣商酌或應用挑水壩或應挑引河之處詳定而行欽此又淮河
南撫臣田文鏡咨稱准工部咨奉旨嵇曾筠奏稱汛水長發以前及時挑挖引河方爲有
濟等語但此引河曾經挑挖完否並有無裨益之處現今齊蘇勒奏聞前往豫省著行文
問齊蘇勒令其看明具奏若齊蘇勒事竣回任即著田文鏡看明具奏欽此欽遵轉咨到
臣臣等看河挑挖引河必須上口正對頂衝而下口有建瓴之勢方可吸引大溜歸入新
河借其水力滌刷寬深以成河道今查回回寨引河嵇曾筠已經興工挑挖將完但上口
之地勢與現在之水向不甚相對臣等因往上首改挖三十餘丈以對頂衝以迎大溜然

河南印刷局印

引河雖挖非挑水壩不能挑開大溜以入引河臣等欽遵諭旨於對岸指示建築挑水壩一座挑溜順行以對引河之口俟水長之時相機開放俾大溜全歸新河庶河勢得以直暢東注而南岸老君堂等處之隄根可保無虞矣

雍正二年五月副總河兵部左侍郎嵇曾筠奏稱竊臣爲祥符挑挖引河摺奏欽奉硃批臣謹會同河臣齊蘇勒遵旨前往細看形勢其地身西高東下開挖引河頗屬順利據齊蘇勒詳加酌議應將河頭往西移上三十丈以迎水勢復於南岸建築挑水壩一座挑溜迎入引河俾無旁洩當即遴委諳練河員領帑募夫挑挖興修於四月內完工今乘水勢長發風色順利於五月初七日將引河相機開放河頭一開大溜掣入奔騰東注勢若建瓴頃刻之間河頭至河尾沖刷寬深水勢直下暢流無阻現在民間重載大船俱由引河遄行水歸中泓祥符回回寨老君堂一帶隄工及居民房屋可免浸刷之虞

雍正三年五月河南巡撫田文鏡奏稱竊查祥符縣之回回寨老君堂等處挑挖引河仰蒙指授方略飭建挑水壩一座使水盡歸引河以免旁溢今水勢已長正可乘機開放臣隨諭令河員於本年五月初六日將河頭河尾集夫挑挖已於五月初七日開放大溜掣

入弃臘東注旬日之內河頭寬有二百餘丈河身至河尾寬闊相等水勢直下盡入引河從日正河兩邊俱已露灘中泓止有三四丈流水亦甚遲緩人可涉水而過大約不久正河即可淤斷至挑水壩座亦於五月二十日已經完工其上下雁翅護崖埽筒之類現在趕工修築指日亦盡可告竣則是挑挖引河之利不特回回寨等處納糧地畝可以永保無虞而新漲河灘並可漸施畚鍤且與沿河一帶數十村莊以及省城地方大有裨益矣再臣伏查南北兩岸加幫大隄各處俱已報竣惟祥符中牟太康三縣或因工程稍多或因前令未完每縣尚有數段現在勒限嚴催作速趕築務於六月中旬告竣合併聲明

雍正三年七月河南巡撫田文鏡奏稱竊查豫省今歲伏汛勢甚洶湧幸而保固平穩不謂入秋以來自七月初四日起大雨連綿黃水徒漲且伊洛沁水一時並皆長發而江南朱家海漫溢決口之水未能暢洩正河又復淤淺水不下流以致上游有長無消自七月初六日起至十四日止共長水至四五尺及六七尺不等各處隄岸高出水面僅止一尺至二三尺不等并竟有水與隄頂相並者其餘如祥符縣之程家寨鄭州屬之薛家寨陽武縣之金馬張儀封縣之南北兩岸隄工尤為危險臣隨移咨副總河臣嵇曾筠相機上

緊料理并委員四路巡流巡查督催搶護復嚴飭管河道暨印河各官無分風雨晝夜率領兵夫住宿隄上多備料物設法捍禦協力修防并檄飭管河道前赴南北兩岸隄工逐細確查於七月初七日據管河道回稱廣邑待賓寺迤西一帶工程勢亦危險幸皆廂墊平穩於七月初八日又據鄭州詳報薛家寨工程危險臣隨即飛飭管河道星詣該地方督同廳汛印河各官作速竭力修防甫據管河道回稱工程已保平穩又於七月十三日據南河同知劉永錫禀稱祥符之程家寨勢甚危急又嚴飭管河道攜帶帑銀前赴工所設法防護臣正在繕摺具奏間不期七月十四日酉刻據臣差巡南岸東首隄工之把總趙連回稱儀封縣知縣袁珂因北岸隄工危險該縣遍河搶救忽於本月十三日二更時分狂風大雨頃刻水長南岸大寨地方大隄陡被黃水漫溢決口一十餘丈又於本月十五日辰刻又據蘭陽縣報稱本月十三日酉刻狂風驟雨頃刻水長漫溢北岸板橋後地方大隄缺口一十二丈臣一面飛飭管河道并廳汛各官防護隄頭并多備料物埽箇立即搶救臣隨於本月十五日親詣漫溢處所督率各員相機搶救并查明缺口丈尺以及進水遠近民閒田廬再另摺具奏并會同河臣繕疏題參

雍正三年七月河南巡撫田文鏡奏稱竊查儀封蘭陽二縣南北兩岸隄工均於七月十三日因大風驟雨頃刻水長各將隄岸漫開一十餘丈業經臣於本月十五日繕摺奏聞臣隨兼程前赴各漫溢處所親自勘查間適據副河臣嵇曾筠亦先後趕到臣隨會同嵇曾筠逐一確查所有儀封縣南岸漫缺大隄離黃河十有餘里先因大隄之外民隄被水漫溢次將大隄漫開寬止一十餘丈而隄內積有雨水內外相平其勢甚緩並未掣動大溜至黃水與清水合流離缺口沿隄往東二十餘里至儀邑之石家樓地方而止往南一十餘里即儀封縣城城外有護城隄以止水且東南地勢均高於北繞隄至城南半里而水竭約計水深止二三尺不等並未損傷人民至隄外黃水業已歸槽灘皆涸出隄內積水值今天時晴霽其涸亦自可以立待又查蘭陽縣北岸大隄離黃河十里隄外舊月隄漫缺二口將未估加幫大隄漫開一十餘丈亦因隄內積有雨水其勢甚緩清水與黃水順隄往東合流約長二十餘里至蘭邑所屬之傅家寨而水竭散漫往北約寬八里至洗瓷河而水止初時水深二三尺不等現今地土盡皆涸出並未掣動大溜口門業已淤塞且喜黃河水勢於本月十四日起至十九日止隨即盡消共落水七八尺不等已盡歸槽

河南印刷局印

兼之連日天時晴霽水更易消工亦易竣其蘭儀二邑修築缺口工程每處約費銀三千餘兩臣與副總河臣嵇曾筠面商趁此水勢稍落汛水未長之時先借動河庫銀兩分發總印河員協力上緊補築一律完固務保無虞約計旬日之內俱可告竣統俟工完之日臣再另摺奏聞其用過銀兩據儀封縣知縣袁珂蘭陽縣知縣佟國蓊情願竭力賠補還項斷不敢使庫帑久懸至於隄岸漫溢防護各官固難辭疏忽之咎但臣查七月初四日起連日大雨傾盆以致黃沁伊洛等水同時並長較之去歲秋汛水尚大二尺有餘且七月十二日風大雨驟工程在在危險人力實係難施儀封縣北岸隄工共有五處危險知縣袁珂同管河同知張近光實在北岸搶護一時不能兼顧致有疏失蘭陽縣缺口處所原係未估加幫大隄年久不免殘缺其情皆有可原今此項修補銀兩又已據各該員情願設法賠補且缺口之處與民間田禾所損無幾而水已盡涸工程亦甚平易副河臣與臣再三斟酌查據二處隄工實與搶險無異似可無庸具本入告

雍正三年八月河南巡撫田文鏡奏稱竊臣於雍正三年八月初四日接准部咨內開欽奉上諭儀封蘭陽兩處衝決隄工可星速會同副總河嵇曾筠督率各屬河員併力搶築

務期永久堅固等因欽此欽遵臣伏查儀封縣缺口已於七月二十八日將民隄合龍經臣奏聞在案今據南岸管河劉永錫禀稱儀邑大隄已於八月十一日合龍現在加高廂墊指日可以全完其蘭陽縣板廠缺口先據副河臣嵇曾筠正在下埽興築適河臣齊蘇勒到工諭令河員搶築鐵心隄費省工速已於八月十二日合龍現在加高廂厚指日可以完竣

雍正三年十月副總河兵部左侍郎嵇曾筠奏稱竊查豫省隄工年久廢弛蒙頒發帑金大加修治一切明險之工俱已加幫高寬足資捍禦惟外有民隄月隄之處當時原估之員從慎重錢糧起見既有重門可恃暫緩加幫俱未入估即間有估修者亦不過每丈加土兩三方略補殘缺但民隄築自民間卑矮處甚非若大隄之高寬堅實而月隄亦多年不修單薄頹圮均難足恃查豫省隄工每因民隄成患如本年儀封縣之大寨蘭陽縣之板廠皆民隄先潰致浸大隄即前年中牟縣之楊橋十里店亦俱因民隄浸開可見暗險之工因有恃而失所恃前車可鑒急應爲未雨綢繆之計也又查加幫大隄原估之時工程綿遠俱未測量地勢之高下而概行估計是以每有間段高低未能一律今秋水漲其

地本高者隄亦高水不能漫至低處水平隄頂危險非常隨於隄上加築小堰暫爲抵禦亦非長久之道此皆實在情形臣往來巡視目擊心儆者也謹委諳練河員逐細算估臣再行覆勘明確與河撫二臣會核題請興修以期永遠無虞

雍正四年三月修築鄭州等處隄工三千五百二十二丈祥符等處南岸隄工二萬二千四百六十七丈考城等處隄工五千九十四丈武陟縣隄工二千四百五十三丈原武等處隄工五千八十一丈又修祥符縣北岸隄工一萬三千三百二十六丈

雍正四年十一月副總河兵部左侍郎嵇曾筠奏稱本月臣謹具摺恭進黃沁安瀾圖臣賫摺家人回奉旨令於所指之處或應開挑引河一道若別處有形勢類此者俱應相機開河欽此臣當即率領河員乘船相度伏查黃河形勢東西暢流則勢順而安南北斜衝則勢橫而激今河身上自廣武山而下引河深通倘能東行於兩岸之中而祥符以下河勢多曲每遇埽灣轉溜即成南北斜衝兩岸險工均坐此病如南岸考城之司家道口等處北岸儀封之三家莊其最著者也細閱河身自儀封北岸之趙家寨迤西灣環趨勢直走正南至考城之縷水隄迤北環向正東掃逼司家寨淘作兜灣每至水長之時下行不

暢則橫流旁注汕成支河分道南侵此考城司家道口一帶受病之源也又自何家寨斜趨西北折行東北經豫省之三家莊東省之芝蔴莊等處繞道而南至王家樓迤下方斜流東注此北岸兩省險工受病之源也今若將南北兩灣從中挑斷引水直流則改南北之形而成東西之勢兩岸工程誠有裨益但從來開挑引河必須河頭有吸川之形河尾有建瓴之勢方可期其必成至於上下接挑尤必上段之河尾與下段之河頭吐納相應呼吸相通方能一氣貫注今查儀考兩邑之河灘皆係平沙漫衍並無西高東下之勢而兩灣首尾亦不能直接順通且河頭接溜之處去北岸較遠而離南隄較近恐北岸之險雖去而南岸之險復增似難必其萬全臣兩年以來因儀考隄工告險往來數護舟楫頻經再三相度緣未獲因勢利導之機宜未敢冒昧陳請今惟有督率各員加緊保守以防明歲汛水倘河形遷改機過可乘即當隨時具奏開挑斷不敢因循貽誤也至於此外工程則有祥符縣南岸之陳家寨蘭陽縣南岸之四水口險工似應疏濬而形勢亦未敢輕議臣謬膺河務所晝夜縈心者惟期事出萬全功在必成固不敢因工大而畏難亦不敢因斂功而輕舉是以逐細查勘再三斟酌茲河身甫漸刷深若改挑引河舊時深處變爲

淤淺新挖河槽未必驟深臣愚以爲不如盡力保守兩岸隄工詳看全河形勢倘有動移即當因利乘便估計開挑以慰聖懷

雍正五年十月吏部右侍郎河南副總河嵇曾筠奏稱竊惟黃河之水湍悍變遷其性多曲每遇埽灣轉溜非斜趨而北即直注而南以致兩岸隄工或當大河之頂衝或被支河之汕刷簽樁下埽多方救護始獲保固平穩此南北兩岸各工致險之源也上年十月內臣恭進黃沁安瀾圖仰蒙聖慈就圖指示就灣處挑直隄工即可化險爲平諭臣查勘具奏臣遵即來往河濱詳細審視因河頭俱無吸川之形河尾又無建瓴之勢是以不敢冒昧議開倘河流稍有動移或遇可乘之機即當隨時入告不致因循貽誤當經奏明在案今查得儀封縣北岸雷家寺一工向因大河在南岸青龍岡迤下由西南埽灣起勢直注西北致將雷家寺上首之灘刷開支河一道沿隄走溜經宋家營徐家堂曲家樓等處直至三家莊出口五十餘里騰波洶浪勢同奔馬每遇汛水泛漲上下搶護救應不遑該廳等曾將支河堵築土壩攔禦以保大隄而水力甚大殊難抵禦臣經營籌度乘舟親往查勘現今青龍岡迤下水勢縈回紆折將上灣淘作深兜與下灣相對止隔四百一十丈上

水河頭已有吸川之形下水河尾亦有建瓴之勢亟宜乘機因勢開挖引河導水東行則河身順直水不紆迴大河之流既暢支河之勢自緩隨築壩攔截可以經久捍禦矣引河既成支河壩既築俾黃流全歸正河自當愈刷愈深將來河灘漸次淤高不特北岸雷家寺迤東五十餘里之埽工可以漸次減省而涸出之灘地亦得廣爲耕種實於運道民生大有裨益今據道廳詳估前來臣復細加踏勘核估該挑引河四百一十丈及堵築支河土埽等工共銀七千餘兩謹繕摺繪圖先行奏聞

雍正六年二月河道總督齊蘇勒奏稱竊河南雷家寺一帶堵截支河開挖引河一事臣欽遵聖諭於正月三十日前至河南雷家寺工次會同副總河臣嵇曾筠沿隄逐加詳勘看得黃河大溜於北岸雷家寺上首刷成支河三道沿隄走溜直至三家莊埽壩頂衝之處抵其大溜始歸正河我皇上明燭萬里於河圖之上硃批諭旨此支河雖在在險工倘有敵三家莊頂衝之力此支河斷流則此三家莊埽工當著實留心欽此仰見洞悉河防恐致顧此失彼之處深合以水敵水之道臣等細加相度河勢情形今此引河一開支河一堵則三家莊頂衝之勢自必增重必須先於三家莊埽壩受衝之處添築迎水大壩一

河南印刷局印

座以抵全黃直衝之力方爲至當再查山東曹縣所屬芝蔴莊隄工地居三家莊之下游正對黃流之埽灣水勢甚屬猛捍應於舊埽上首添築挑水大壩一座挑溜開行以順其勢庶上下俱保萬全矣除開挖引河堵截支河已經會題動帑興工外其添築之迎水壩臣等現在指明壩基令各該員動銀備料尅期趕竣以資鞏固

雍正六年二月吏部左侍郎河南副總河嵇曾筠奏稱雍正六年正月二十七日臣於山東曹縣工次時值河臣齊蘇勒陛見回南赴豫傳奉聖諭河南雷家寺一帶堵截支河開挖引河一事爾於回南之時前往彼處再行詳看會同副總河嵇曾筠細加商酌欽此臣於正月三十日同至雷家寺工次細看河勢情形凜遵指示機宜詳加斟酌應於儀封縣三家莊添築迎水大壩一座以抵全黃頂衝之力臣一面飛飭趲運料物將三家莊迎水壩晝夜興築下埽簽樁廂墊穩固復親至雷家寺督催各員挑挖引河已經挖有八分指日可以告成臣因桃汛屆期由山東黃河北起一路沿隄查勘直至河南武陟即渡河查勘南岸隄工往返巡歷目擊沿河灘岸竟有高出水面七八尺一丈不等可見河身漸次刷深足以仰副聖懷

雍正六年三月兵部尚書河南副總河嵇曾筠奏稱竊照蘭陽縣北岸耿家寨地方原係臨河險要臣前同河臣齊蘇勒相度形勢必得重門保障方資鞏固因議將大隄及臨河縷水隄並中間土堰一道亦幫作越隄共有三重均酌量估計於雍正二年三年陸續題請加幫在案近因河勢下移南岸長出淤灘黃流北注漸成頂衝本年二月間節據該廳汛具報埽工蟄陷歷經批飭動料塡廂搶護嗣於二月二十八日臣正在巡查南岸據下北河同知張近光報稱二十七日未時河勢陡湧大溜衝刷隄根走埽一箇連夜搶埽搶護至二十八日卯時塌卸隄頂一丈餘等情臣隨冒雨渡河赴工查勘見水勢已緩即住宿工次相機修守如式下埽簽樁堅實買土廂塡業經搶築平穩訖伏念桃汛水勢易長易消尚然報險急應未雨綢繆以防伏秋二汛因查第三道大隄久已加幫高厚其第二道越隄雖經加幫頂寬二丈底寬八丈高一丈二尺尚嫌卑薄其臨河第一道縷水隄近因大溜直射隄根深至二丈有餘臣再四籌度現於隄南迎溜頂衝之處下撐厓埽一路沈水埽一路又預備料物相機下魚鱗埽一路再查縷隄北面有積水深潭因晝夜赶築裹戗壩臺密釘攔土排樁一路又於險工左右隄頂甃行酌量加高則頭門已屬穩固次

將第二道越隄隨地勢加幫高至一丈五六七尺頂寬三丈底寬十二丈并估下等埽一路則二門亦有捍衛再於第三道大隄上添貯料物以備不時需用多撥員弁兵夫防守則三門亦有准備再估從縷水隄北直接大隄東西建築格隄二道預爲收束水勢地步則四面層層有備雖至伏秋可保萬全矣

雍正六年五月吏部尚書河南副總河嵇曾筠奏稱竊查儀封北岸河勢直注西北刷成支河沿隄走溜騰波湧浪勢同奔馬經宋家營徐家堂曲家樓直至三家莊綿長數十里每值汛水漲發搶護不遑臣曾會疏題請於雷家寺地方開挖引河導水東行荷蒙恩允欽遵在案臣於正二月間即親督廳印汛各員挑挖如式嗣緣桃汛水小不敢輕於開放至五月十二日河水長有四尺五寸臣隨星夜前往督同承挑各員多僱人夫將河頭河尾一夜挑挖深通於十三日清晨開放時值西風忽起水激風順湧溜東注引河瞬息盈科暢流無阻臣又於二十三日乘舟察勘適當雷雨交作西北風猛住宿舟中是夜水長四尺四寸風順水湧大溜皆歸引河至次日查勘河身沖刷寬有百丈深有二丈四五丈不等新河愈刷愈深舊河水勢頓落雷家寺迤東一帶埽工將來可漸次減省而水占灘

地亦可逐漸堌出廣爲耕種實於運道民生均有裨益計引河長四百一十丈

雍正八年三月吏部尚書總督河南山東河道提督軍務內閣學士協理河工事務徐湛恩

奏稱竊查豫省黃河全勢既復故道則舊時險要之處必須先事隄防茲有北岸封邱縣荊隆口者因南岸淤灘日漸增長全黃大溜逼注北岸該工坐當數十里之頂衝埽灣汕刷塌卸河距去隄僅五六十丈雖現經多備料物加幫戧隄嚴飭道廳汛弁相機上緊修防務保無虞但查該工乃舊時決口順治九年河決封邱大王廟口由直隸長垣越東省運河北注於海興工堵塞需用夫役錢糧累歲不下數十萬計方得成功今荊隆口與大王廟古黃池首尾交接咫尺相連內臨積水深潭形如釜底北面雖有汰黃舊隄卑矮殘缺難資捍禦外灘皆屬浮沙隄根之下又係舊時朽樁腐埽一遇黃水漫灘未免氣脈相通若至伏秋汛長水勢奔騰擊縱有長樁大埽衛護周密雖支經久且埽工必須歲歲加修需帑繁多而大溜緊逼上提下坐呼吸變遷終非萬全之策臣再四思維必須於上游對岸開挖引河分洩水勢則荊隆口一帶險工便可邀淤漸成平陸洵爲一勞永逸之舉隨率同道廳等官乘舟由上而下細加審度現今上游之黑堽口刷成兜灣天然自立

河頭大有吸川之形至柳園口自高而卑河尾噴瀉亦得建瓴之勢形勢既成急應迎溜
開挑俾水由兩岸之中泓暢流東注南北隄工俱堪保護平穩從前武陟之倉頭口儀封
之雷家寺等處引河至今通暢舊日河身業已化爲沃壤今若於荊隆口上游開挑引河
便得化險爲平臣等查勘詳確隨會商督臣田文鏡亦云引河該挑須早興工當飭道廳
確估工長三千三百五十丈需用土方銀二萬七千九百二十兩零因係緊要工程一面
先動河銀遴派幹員劃地分工檄委河北道朱藻催趲乘時挑挖臣等復嚴加督催務期
速竣俟汛水長發相機開放以保荊隆口古黃池一帶要工

雍正八年五月河東總督田文鏡奏稱雍正八年五月初三日臣准部咨奉上諭南河總
督印務關係緊要著尚書嵇曾筠前往署理北河總督印務著田文鏡暫行兼管欽遵移
咨到臣除恭摺奏謝天恩外竊惟河務重大臣既仰邀恩命即當受印視事以便嵇曾筠
交代起身前往新任但查黃河北岸封邱縣所屬荊隆口地方素稱險要近因黃流從黑
堤口迤下自南而北三十餘里大溜頂衝直注荊隆口奔騰浩瀚勢如建瓴衝塌河岸離
大隄僅五六十丈不等經河臣嵇曾筠親往勘度查自黑堤口迤下至柳園口隄岸現有

引河形勢斟宜開挑導水東注可以永保無虞河頭河尾計工長三千三百五十丈於本年三月内會同臣等題估一面動撥河銀分委廳汛員弁興工趕挑今河身業已挑挖告竣惟俟汛水一至即可開放以[illegible]底績臣查引河奏效全在開放之一時指授得宜則乘機導注享利無窮若調度偶有未合不但無益工程而且運道民生胥受其累臣於開挖引河大概僅得之傳述實未親身經歷不敢自信河臣嵇曾筠於開放引河則已數經其事熟悉機宜臨時調度悉出萬全今荊隆口引河爲乘成緊要之工必得藉其指示開放收工頃刻爲久安袰固之計況時已仲夏汛水刻日可至而嵇曾筠亦爲開放引河現駐工所大工未竣不能放心而去是以臣與嵇曾筠面相商酌俟其開放引河之後再爲交代應險要有可藉之人而工程無意外之虞且此旬日之間凡有河務重大事件緊要工程並得就近臣與悉心籌酌應接手辦理頭緒亦清臣因荊隆口爲自來最險之地而開放引河實千萬年底定之工不敢不愼重其事是以冒昧奏請仰祈恩允俯准俟河臣嵇曾筠開放引河後再爲接印視事

雍正八年五月河東總督田文鏡奏稱竊查荊隆口地方挑挖引河計工三千三百五十

丈地險工長經臣奏明俟開放引河後河臣嵇曾筠再赴南工正在祇候聖諭茲於五月十六日據河北道朱藻稟稱河頭河尾工程已於本月十五日一律告竣甫完畚鍤即於十五日戌刻汛水陡漲二尺六寸漸至三尺有餘與河頭崖岸相平該道即差員飛赴前隆口稟請河臣嵇曾筠協理河臣徐湛恩齊至河頭督率廳營各汛員於十六日子時乘勢開放暢流奔注頃刻深通查河面原開寬十餘丈今已刷寬至二三十丈不等原開深九尺一丈不等今已刷深至二三十丈不等迨至十六日辰刻即有重載客船從新河來往駕駛莫不共頌神速等語引河既經開放臣候河臣嵇曾筠到省便當接印嵇曾筠便可馳赴南工

雍正八年六月十四日至十六日大雨河水陡漲大溜頂沖祥符縣南岸程家寨月隄漂走四埽隄工坍塌過半總督田文鏡率領各員夫役爲人晝夜加幫裹戧一百零四丈七月二十八日工竣

雍正九年六月原任河東總督田文鏡奏稱竊照祥符縣南岸程家寨隄工逼近省城最關緊要因於對面北岸淤長大灘直出河心以致全河之勢逼射該工甚爲危險必得於

北岸兜灣之處挑挖引河一道出溜直行則該工不致有頂衝之患經臣於掌管總河印務時題估奉旨愈允發帑委員預期興挑在案茲於雍正九年六月初八日汛水驟長大溜直注河頭隨於初九日巳刻乘機開放風利溜急全河歸注水勢浩瀚頃刻成河連日大溜奔注兩岸塌岸河頭現寬五十餘丈河身寬二十餘丈河尾寬四十餘丈俱深一丈六七尺至二丈餘不等往來重船遄行無阻所有舊日大河遂漸淤出新灘伏秋汛後即可淤平

雍正十一年七月二十日大風雨河水漲溢浸決陳留縣七堡九堡總督王士俊總河朱藻副總河阿蘭泰率領各員募夫堵築時數日內河岸挂淤大灘畢露得以取土施功因晝夜搶築於八月初八日十三日合龍斷流築七堡月隄一百二十丈大隄五十五丈九堡月隄二百一十丈大隄一百六十五丈十月初一日工竣

雍正十三年築祥符縣程家寨隄

乾隆元年官修孟縣小金隄防風五十丈　小金隄向係民修此次奉旨動帑興修至十九年後仍歸民修詳見經費門

乾隆四年築鄭州黄岡廟月隄

乾隆七年築中牟十二堡月隄

乾隆九年河勢南徙築滎澤縣月隄東自胡家屯西至李家莊長三里

乾隆十一年築鄭州頭堡月隄

乾隆十六年六月河決陽武祥符朱水自十三堡口門經太平鎮分爲二道自口門沿隄東流分入延津封邱二縣之渠復合於封邱之居廟渠至鐵鑪莊分爲二股一股從太行之王家隄口入直隸界一股由太行隄之大册口入直隸界由此口入東明縣之魏河經山東濮州范縣壽張出張秋鎮梗運河入海是年七月興工先築月石隄民堰以遏其冲次築玉皇廟大壩以塞其倒流凡五閱月費帑金數十萬十一月合龍斷流水歸正河十七年正月十三堡口門大隄築成又增築縷隄格隄等工數百丈

河南印刷局印

乾隆十八年四月河東河道總督顧琮河南巡撫蔣炳奏稱陽武五堡民埝並十二堡大隄因兩汛黃並漲以致漫溢現在捐築斷流上游進水地方亦趕緊攔河築小埽又五堡外地勢極窪灘水匯聚急應疏通去路現於埽東開引渠灘水至此循民埝東去漫入灘地以分水勢

乾隆十八年九月河水驟漲陽武汛漫開五堡三埽及格隄橫埽冲決十三堡大隄四十二丈隨經補築完固

乾隆十八年築鄭州花園月隄

乾隆二十年築中牟九堡月隄

乾隆二十二年築中牟十堡月隄

乾隆二十六年秋汛沁黃並漲北岸武陟滎澤陽武祥符四汛漫缺內外隄十五處因南岸楊橋奪溜大河乾涸次第修備完固

乾隆二十六年七月十七至十九日大風雨河水陡漲漫溢中牟縣楊橋大隄奪溜成河

命侍郎裘日修馳往查勘撫恤並籌堵濬

乾隆二十六年八月諭昨據常鈞奏豫省祥符黑堽口等處河水漫溢已命裘曰修前往會同辦理今據奏報見在漫水漸就消退地方城郭可以無虞雖因奏稍慰但河溜奪出楊橋直趨尉氏縣賈魯河舊流淤淺斯於河防最關緊要著大學士劉統勳協辦大學士公兆惠星速馳驛赴豫督率查辦旋經欽差大學士劉統勳協辦大學士公兆惠同河督張師載巡撫胡寶瑔率領各員募夫堵築江南河督高晉亦奉命到工並率領南工將弁一體趲辦九月開放引河通暢十一月初一日合龍河流順軌築大隄二百七十七丈

乾隆二十六年十月奉上諭據裘曰修奏沁水隄埝民工天師廟等村二處及各段大小缺口皆爲急不可緩之務現據該府縣估需銀四萬兩士民籲請借領庫項亟爲動工分作十年清還等語此等隄埝雖係民修現今被水之後秋成未免歉薄若借給庫項乘時修築事屬可行著傳諭胡寶瑔即照所奏速爲辦理欽此隨經添築天師廟斜隄一道長二百三十七丈挑水壩長十八丈

乾隆二十七年挑楊橋上游引河八百一十二丈築祥符縣時和驛二堡三堡焦橋五堡灣莊九堡埽頭十九堡隄蘭陽縣頭堡二堡隄又黃沁上北下北三廳因二十六年隄工

漫溢水勢過大高於隄埝擇其形勢最要出水極矮之處於善後事宜案內增築縷隄一百一十二段

乾隆二十九年十一月上諭李宏等奏豫省耿家寨引渠告成一摺該處埽工舊稱險要今開挖引渠全河大溜悉行歸注冲刷寬深險工淤閉甚屬可嘉

乾隆四十三年七月姚立德鄭大進奏河水驟漲儀封汛漫水六處考城汛漫水三處其儀封之十六堡一處偪近大河掣溜湍急刷寬七十餘丈命尚書袁守侗馳往河南會同總河姚立德巡撫鄭大進查辦漫工又命兩江總督高晉赴河南堵築漫口又兩江總督高晉奏時和驛漫口下注之水歷陳留杞縣睢州柘城境內之橫河康家河南沙河老黃河均歸賈魯新河下達江南亳州之渦河儀封漫口下注之水一由考城之盤馬寺溝入北沙河至商邱縣之鄧溜口由歸德府之陳兩沙河匯入渦河一由寧陵縣之馬三河亦會歸德之陳兩沙河入渦

乾隆四十三年十二月諭高晉等奏堵築儀封漫口情形一摺擬將引河挑深宜即妥速爲之此次引河不能得力究係原挑過淺所致據稱見在口門上水十丈下水九丈擬將

口門收至二三丈時儘力多廂厚土俟引河挑深開放掣溜再將壩工堵閉等語自屬正理但口門收窄後河底愈深溜勢愈急施工自難期速效昨時和驛合龍時曾經指示兜袖之法若宜合龍固佳若復有變局或照前說將此處金門東壩之埽酌展向南西壩之埽酌展向北使爲兜袖之勢則急溜至此或成回溜合龍自應較易而速因於圖內用硃筆標識高晉宜急熟籌妥協辦理不必拘於遵旨也再閱圖內見挑引河之處距漫口太近且不得勢今就圖觀之引河本當向北施工因於圖內用硃筆標示若伊等初時即就此處挑挖引河雖工大費多而事或可早蕆乃專就地近工小起見所費雖覺少省今復經淤墊重挑且屢開屢塞前工盡成虛擲恐其費更不止於硃筆所指處興工之多矣合龍必須於築壩前辦竣方爲妥善

乾隆四十四年正月高晉卒命大學士公阿桂赴河南查勘河工善後事宜

乾隆四十四年四月諭阿桂等覆奏現在籌辦河工及將來查勘應辦各工情形一摺前因阿桂等原奏四月初可望合龍是以諭詢阿桂或於合龍後將善後事宜擇其要者辦定章程阿桂即先行回京令袁守侗在彼做照妥辦乃就摺此垂成之局而言今北壩復

衝塌二十丈有餘見在趕挑挖引溜溝及設法進埽此時應辦之事關繫重大阿桂自當在彼督辦冀速蕆工至新挑引河務須極寬極深方可期掣動大溜不得存惜費之見當以從前之淺窄後致不能得力爲戒壩工進埽照圖內硃筆標識自新作壩臺起斜向西北進埽俾挑大溜由東北趨注引河應開放掣溜更爲順利至進埽合龍亦照硃筆橫識處施工仍不離前此所指兜袖之法自當有益阿桂等務即悉心妥籌一面辦理一面覆奏其見據另挑之引河通計不過三百丈易於遵辦阿桂等務須董飭承辦各員弁趲集人夫上緊赶辦以期速竣其壩工進埽必須較前寬厚逐步培壓堅實方可有濟總之此次辦理堵築事宜引河必比舊寬深進埽必加意堅固以期速收實效見今河流不緩上緊趲辦自可速期蕆事本年節候雖早然初伏亦在六月初八日伏汛距今尚有兩月此時上緊趲辦斷無至伏汛時尚未能蕆工之理著阿桂等詳悉核計若果如法施工諸事應手約計何時可以合龍先行核奏再儀封工次四月初七日東北風暴以致塌動壩工是日京師下午亦有東北風可見百里不同風之說亦不盡確前日下午此間西南風甚大豫省諒亦相同或將大溜偏向引河可期暢注該處情形實在如何並著阿桂等據實

復奏朕於豫省河工一事責夜焦勞思古有沈璧理河之事因擇白玉璧一件並撰擬祭文一道由驛發往著阿桂等於接奉後即詣見作壩工河岸虔誠致祭或可冀河神佑助速得蕆工　又諭上年儀封漫口屢築屢衝推原其故皆由豫省河身寬廣漫灘之水衝有溝槽姚立德未能預計堵塞以致水漲時穿近隄根且河形近年漸已趨逼南岸姚立德並不早爲籌畫妥辦因循貽誤所以在在衝決此皆姚立德經理不善所致且堵築儀封漫口屢有蟄塌日久未能竣事物料狼藉各項虛糜更難辭咎姚立德本係革職留任之員即著革任仍留工次效力贖罪

乾隆四十四年十一月諭前據阿桂等奏順黃壩工口門未施工者止有七丈餘見在上緊赶廂計日可相機堵合連日盼望甚切茲據阿桂等奏自下大埽後口門止餘四丈有零正在督令趁勢掄壓冀可合龍乃十一日早水勢猛湧異常陡將南壩蟄塌二十餘丈懷慚無地詢之徐建功等再上又無可移辦之處惟有上緊接做輭廂雖有埽底仍屬無礙計工段亦不至過遲等語覽之深爲焦急然亦實無別法已於摺內批示矣因思向來衝蟄俱係北壩此次則係南壩其壩身尚非頂溜不至與水急爭今補廂補築似較北壩

河南印刷局印

施工稍易或可期迅速蒇事亦惟有全力赴之一切皆臻妥善以待天佑神助耳至阿桂等另摺懇請議罪議罰之處俱可不必伊等在工俱實心任事百計經營似此次之工竣一賓信非人力所能施意計所能及並非怠玩誤工不但阿桂不必引爲己咎即袁守侗陳輝祖有河工地方之責者亦不必各請歸罪仍將見辦壩工引河情形若何及合龍約在何時迅速覆奏

乾隆四十五年二月諭據大學士公阿桂等奏報自本月初六日開放引河後日漸暢達又連値順風全河溜勢掣動八分因於十一日趁機堵合未逾數刻金門立見斷流大溜全入新河其有腰漏掛簾之處率同帶往司員馮應榴舒濂並司道知府等分頭督催竭數晝夜之力金門一帶俱已閉氣從前水深至十一丈者均已停淤止剩四丈餘所有腰漏等處亦已塡壓堅實從此黄流順軌永慶安瀾等語昨據薩載奏徐城誌樁長水一丈一尺餘雲梯關長水四尺九寸流勢湍急全黄已復故道直達歸海此次儀封決口辦理幾閱兩載特命重臣前往經理近復將引河大展寬深接作挑水壩逼溜北趨始將溜歸正道天佑神助幸得成全至前此遣德成前往豫工閲看原以其略知工程作法而其回

京覆奏乃欲仍於十六堡漫口築壩逼歸入舊引河彼時以德成甫經到工數日即議更張乃欲於歷經決口處施工兩壩執繆不通因阿桂等輕素其人不加禮貌遂爾意存偏執甚至奏對朕前尚復曉曉瀆辨思用小聰明故翻成案且引袁守侗爲證而袁守侗至京與彼面議原不以彼爲是也朕豈肯因德成一人偏見遽爾輕聽致阿桂等掣肘難辦因令軍機大臣存記俟阿桂引河挑成再降諭旨今阿桂等引河放溜金門合龍已成若爾時輕信德成遽議更張豈不貽誤大事德成著交部嚴加議處

乾隆四十六年七月諭據富勒渾奏報萬錦灘於初二三日長水一丈八尺黑堽於初四五日前後長水一丈二尺五寸八堡迤東焦橋一帶漫水過隄赶護不及以致大隄被刷三十餘丈初六日午後水落四丈有餘灘面露出始見闌隄與八堡大壩見飭屬赶作裹頭保護大隄自請交部嚴加議處等語又據韓鑅奏到漫溢情形將道廳營汛疏防各員查明題參並自請嚴加治罪等語此次河水漫溢雖屬洶湧但大溜仍走中路闌隄大壩已露出灘面韓鑅富勒渾聞信後即親赴該處督率搶護辦理尚屬無過所請嚴加議處及治罪之處尚可寬免惟見屆秋汛務須加意防護趕緊辦理以期工程鞏固

河南印刷局印

乾隆四十六年七月諭據韓鑅等奏祥符南岸漫溢之處水已斷流見飭員弁趕緊補築一摺又據奏儀封北岸曲家樓隄工於初五日亥刻水高於隄一二尺搶護不及刷塌隄工二十餘丈並未掣溜見在上緊裹頭以免刷寬並親赴北岸確查等語此次北岸水勢既據查看已見消落大溜仍走河心酌量情形大概與南岸焦橋漫溢相同著韓鑅等速行督飭廳營員弁上緊趕築以期迅速集事並將見在[illegible]勘水勢曾否已經斷流迅速據實具奏所有北岸漫工請交部治罪之處著加恩寬免

乾隆四十六年七月命大學士公阿桂查閱河南河工

乾隆四十七年四月大學士公阿桂奏稱臣伏查治河書內原稱隄工漫溢一次則河身定有數處受病此必然之勢豫省自乾隆四十三年以來祥符八堡儀封十六堡張家油房曲家樓等處屢次漫溢灘面淤高較之隄頂僅低數尺是以於舊河身內挑挖引河深至一丈五六尺尚不能與河面相平向來堵築漫口十餘丈時未有不開放引河者而此次口門收窄至七八丈方能蓄水三四尺與引河相平可望進水纔由漫口日益刷深而河底日漸淤高萬丈之引河挑至一丈數尺斷不能再加挑挖至開放時壩工業已著重

誠如聖諭此次所開引河雖大溜兩經全入引河終不能得手而灘地既已一例淤高實無可以別行度籌再開引河之處且至曲家樓一帶經上年累漲之後衝成溝槽坑坎縱横無數敗壞決裂之狀屢見疊出是此二百餘里內受病已深即使堵築合龍亦不過目前急則治標之計竭力補偏救弊終不能保一二年無虞今既不可就敗壞之局敷衍於目前即遇伏秋大汛亦無善地可以改建壩工臣等前於屢次蟄失改築壩工之時即曾先事預籌設法變通遴委諳習員弁於南北兩岸往來査勘相度善地以爲改綫更張之計初擬就漫水所注加築北隄使大河即由潘家屯歸入黄河正道但計算隄工共長六百餘里勞費甚大且漫水自出大隄後趨向東北不能順隄而行且自微山湖以下湖河一片難以施工惟南隄外尚有可更改遷移之形勢順治九年河決封邱北岸興工堵塞旋築旋潰迄無成功彼時河臣因於上游時和驛一帶多開引渠數道引溜南趨以分其勢方克蕆工目今南岸近地既無可籌辦因於迤上隄內民田復加履勘再四測量地勢惟得青龍岡迤上南岸隄內自蘭陽三堡起向東地勢就下較之隄內大河面低至三四尺不等若較之北河槽灘面低至一丈五六尺至二丈不等自此至考城商邱共一百七

河南印刷局印

十餘里大率相同即間有稍高處所亦不甚懸殊現擬於南隄相距千丈外連築大隄一道且前次南岸漫水所過本有沿隄舊河形再間段挑深數尺引渠一道實有就下之勢查此兩項工程計長一百六十餘里工大費繁非四五月之久不能竣事俟渠已挑成隄已築數丈後即於蘭陽三堡老隄挖寬缺口導水由引渠下注從商邱七堡出隄歸入正河大溜勢必全掣東向下歸故道入海其曲家樓漫口自可堵閉並將圈隄兩頭接築北隄易於防守亦可免防北岸無數險工其原有舊南隄任其衝刷若大溜串入舊南隄畔順隄河合流而下尤爲寬廣而距新隄甚遠既有餘地水勢蕩漾游波寬緩足資容納夫然後水由地中行勢必深通暢遠避去儀考一帶受病地方是此事一成可望數年無患較之築壩堵塞僅補救於一時者不同熟商妥議舍此別無良法至隄內民田廬舍原不能無礙且考城一縣亦須遷移臣等亦未嘗不慮思及此查考城自四十三年以後屢被漫水淹浸城郭塌壞官民俱在隄上居住本有不得不移之勢至隄內居民屢被災祲各移高阜居住其傍隄廬舍甚爲寥寥即有民田亦可將舊河身灘地撥給更換或情願於新隄外居住者即將其地照河灘減則不使稍有擾累失所並先期出示曉諭以一勞永逸

以期長遠安全之意小民自必樂從又有慮及江南河身高仰水勢不能暢注者查自清口歸海之路自黃流漫溢止有淮水下注久已衝刷深通而徐州以下則開放潘家屯後湖水刷河亦可無淤阻滯惟蕭碭銅山迤西或間有淤高處所臣李奉翰擬即逐段察看測量挑挖務令一律疏濬深通俾黃水歸入故道時順流迅駛以期一勞永逸至估計土方應用銀數若干及如何派員分段承辦並量地勢上下之別以酌建築之高卑定挑挖之深淺臣逐細覆勘纔斷條分縷行具奏再河臣韓鑅現奉諭旨令其馳回工次現係改辦之事關係甚大俟伊到日再令詳悉覆勘各抒所見自行陳奏大學士三寶等議覆應如所奏行又大學士嵇璜奏南岸蘭陽三堡建隄開渠通盤籌畫實於事勢恰當惟是大汛將屆將來伏秋盛漲之時上游險工頗多設其時大溜南趨或歸中泓情形又有變更則青龍岡漫口堵築尤可不費人力況值大雨時行之際築隄挑河均不能不稍稽時日或俟秋汛水退時再行開工似無趕辦不及之處

乾隆四十七年四月諭昨據阿桂等奏南岸築隄改渠一摺批交大學士九卿議奏今日復召見大學士尚書與軍機大臣等面降諭旨詢問見辦河工除築隄改渠之外是否別

有長策僉稱青龍岡壩工壓築未就自應於南岸改辦即目前形勢而論不得不如阿桂所奏辦理又據稽璜奏請俟白露過後秋汛水退時再行施工等語河工乃國家大事關係民生不獨朕日夜焦勞凡在廷大臣均應盡心籌慮以期有裨國是稽璜此奏亦有所見其是否可以待至八月後施工不致赶辦不及之處著傳諭阿桂等再行通盤熟籌據實具奏至青龍岡壩工見在既不能堵合其所存口門三十餘丈務須保護完固不得續有塌失方爲妥善總之此事朕毫無成見惟期於民生實有裨益阿桂等昨所奏蘭陽三堡建隄改河即係朕前旨所指之遥南一帶另籌去路惟前旨係通論大勢未嘗身親履勘目擊情形今覽所奏圖說阿桂等既經親勘籌酌得宜飭下廷議衆謀僉同自應照所奏辦理至嵇璜所稱緩至秋間開工之處亦爲斟酌事勢慎重要工起見阿桂等身親其事見聞眞確果否可行候阿桂等奏到再降諭旨所有大學士九卿奏摺同此旨由六百里發往傳諭知之

乾隆四十七年七月諭據李奉翰等奏直隸山東江南各省附近豫工各屬代僱民夫派員帶領來工指與工段即令該省委員駐工督率人夫興挑等因一摺此項協濟人夫直

隸山東等省其簽派押解小民不盡踴躍樂從朕從前早經見及屢次傳諭甚明而此次李奉翰韓鑅等摺內但知借資鄰省並未通盤籌畫以朕觀之其中實有礙難辦理情形以致曉曉不已轉若有互相推諉之意已於摺內詳晰批示矣李奉翰等應遵照節次諭旨務儘本省人夫召募僱用蓋因挑引河原因堵築漫口爲民田廬舍奠安之計乃驅率隔省不樂從之人夫押解赴工是欲利民而轉以病民甚非朕軫恤窮黎厪念要工之意再代僱之夫無論裹糧遠出不願前往者居多即所奏直省派委官員令押帶民夫赴工分段承辦一切呼應不靈動多掣肘隔省差員豈能如本省屬員之畏上司即李奉翰韓鑅等管理直隸委員亦不能如本省屬員如臂指之相使也看來李奉翰韓鑅富勒渾等於此事工大任重竟至畏難茫無主見矣且河南之工富勒渾自當身任其事今貧民無地可耕者甚多豈一省之中不能得數十萬夫而必借資鄰省乎昨令阿桂起程赴工或順道由山東運河一帶查勘河湖形勢本日據韓鑅等奏到縴道及糧艘北上情形俱屬安穩看此光景阿桂不必由東省查勘應即由京從赴豫工督辦一切至直省見在僱備夫五千名著傳諭鄭大進如此項人夫尚未起身即可停止如已起身前往恐前派之員

不足以資彈壓即派清河道永保並帶同幹練丞倅等官管領夫役前往幫辦一切或尚得力總之引河工程其刨挖溝槽及隄工基址大局已定即限前人夫不能十分齊集就本處僱覓儘屬從容亦無庸借資隣省兄前已降旨將開放之期寬限至霜降節邊見在伏汛已過秋汛將臨設霜降時候所未開挖工程尚不能一律完竣即緩至冬間甚或遲至明春桃汛以前開放一舉集事亦無不可此等機宜阿桂到彼會同李奉翰等悉心籌酌妥爲辦理

乾隆四十八年三月諭據大學士公阿桂等奏報自本月初一日開放新河後奔騰掣溜全黃已復故道直達歸海十三日辰刻掛纜堵合十四日辰刻金門一帶俱已斷流從此黃流順軌永慶安瀾等語此次曲家樓漫口爲民生運道攸關特命大學士公阿桂前往經理籌辦幾閱兩載因諭阿桂等於豫南一帶另籌去路經阿桂等公同酌於商陽一二堡至商邱七堡共一百七十里另築新隄疏挑引渠阿桂等原議本擬霜降以前完工開放而隄渠並舉需用人夫較多該地方督撫等屢請隣省助夫非便屢經降旨訓諭並令展緩至春間桃汛開放引河俾豫省夫役可以從容挑築停止他省撥派之煩阿桂等遵

照辦理定期開放大溜全掣壩工堵合穩固此皆仰邀天佑神助幸得蕆工

乾隆四十八年欽差大學士公阿桂奏籌改河善後事宜疏曰伏思東水南行恐重於壩工此次蘭陽十二堡新做大壩自合龍後仍晝夜追壓高出水面二丈五尺壩前之水原深三丈九尺遂漸停淤目下僅存數尺是金門一帶業已墊高而大壩後又添築淨土二壩實無可慮至河頭河尾爲入水出水之處最關緊要臣等前議善後各工時擬將十二堡灘地新開七百餘丈之河頭上唇西岸上截下唇東岸下截各斜挑展寬二十丈者原欲使黃流入舊南岸後暢順東注可免衝逼新隄其商邱七堡河尾旁隄先已遵旨展寬至百餘丈現亦搶再破隄一百丈並於下唇挑川字溝二道共寬五十丈俾水長時啟放衝刷匯通共有二百數十丈尾閭流行既暢大溜必向東北歸入正河其南漾者不過平漫之水亦可不致壅遏爲害至新河係從平地開挖兩岸尾頭不高漫漲自所難免且引河從來取直而黃流性必坐灣自上月初一日放河以來新河塌寬已間段露有灣形其地勢少窪者亦有漫水漾至隄根之處臣等悉心體察新隄內外地形本無甚低昂漫水雖至南隄而新河已刷深自一丈至一丈數尺不等此外地勢更無低於河身者是以大

溜總由新河身內奔騰東注斷可不至分掣但新建隄工雖飭令如法夯築而土性一時究未能融洽亦應加意防護原定新隄底寬十七丈餘頂寬七丈餘高一丈四尺較之兩岸舊隄已加高厚本年撫臣李世傑又於隄頂之上加築四尺子堰一道臣等起程時並商定將子堰幫築與隄頂一律寬厚其土性稍鬆處所亦於隄後幫護裹戧務令益歸鞏固且現在河已歸槽水退沙停再經伏汛黃水蕩漾一兩次溝槽既可填平厓頭亦漸次淤高則形勢更可大定臣等復因漫水之淺深以測地形之高下其淺者傍隄酌築埽枕深者酌做防風以防大汛時風浪汕刷傷及隄根其河形坐灣之處若坐近新隄是誠如
聖諭恐至頂衝受險臣等勘估河頭時若從灘地取直挑挖原不過三百餘丈但究恐黃水尚有向南之勢現復將上唇下唇斜勢開寬亦期大汛時河水不至向南大坐兜灣新隄免受頂衝此時溜勢總傍舊南隄東趨河身距新隄至近者亦有四五里惟河灣尚未坐定應俟大汛屆臨察看形勢如何向南坐灣離新隄相近或築壩挑溜北趨或下埽護作是以於僉議善後摺內留備料三千萬斤即係大汛防護之計

乾隆四十九年八月睢州河溢命大學士公阿桂督治之會同兩江總督薩載南北總河

李奉翰蘭第錫巡撫何裕城會勘詳議築塞

乾隆四十九年八月諭據蘭第錫等覆奏籌辦漫口情形一摺內稱正河去路並未淤塞堵築似易爲力等語正河幸未淤塞但仍宜愼重辦理以期妥速集事不可爲滿足之言至朕前因豫省隄防而外無可分洩之路隄工往往易致潰決是以降旨令於賈魯河睢河等處詳細履勘是否可以於倒句引河處所酌建減水壩以分水勢今蘭第錫等摺內未據覆奏及此想此事關繫重大伊二人未敢遽定阿桂接奉前旨自已迅速赴豫李奉翰俟南河分洩事宜籌辦停妥亦必即起程前往阿桂等一到自當會同相度熟商但思河南土性浮鬆若建立壩座不能堅固是欲減水而轉致掣溜所關匪細著傳諭阿桂等務宜詳細履勘選擇土性堅實並非頂衝處所酌量修建如賈魯河一帶並無膠泥或擇其土性稍堅之處酌建石工一段即於石工之中建壩數座以便相機啓放自更足資鞏固河工關係民生苟有裨益雖費帑金一二千萬亦非所靳況修建石工數百丈所費亦不至一二百萬又何所靳而不爲耶但此事究出於朕不得已之創見實不肯自以爲是著傳諭阿桂等公同悉心妥商如建立石工有益即當奏明辦理但須十分堅固爲要如

該省地勢實有難於建築石工減水壩之處亦當據實具奏不可稍存遷就也是月欽差大學士公阿桂等奏查豫省黃河上自滎澤下至虞城計程五百餘里隄長共九萬四千三百丈向無分洩之路似屬前人辦理未周然建壩必須膠泥引河尤須倒句庶不至掣動溜勢如南河之毛城鋪蔣家山天然峰山等閘或藉山脚基址建設或土性堅凝外灘寬廣臨黃有倒句引渠距隄甚遠可以分洩即王營減壩距河雖近而內有鹽河橫亘其中過壩之水洩入鹽河以水禦水是以無掣溜之虞今臣等勘得豫省隄工滎澤鄭州境內土性尚堅該處距廣武山甚近隄頭至山脚一千四百餘丈其無隄之處逼黃河水勢長至一丈以外即由山脚漫灘歸入賈魯河下注是此一帶本無庸再設減水石壩其自鄭州以下中牟祥符蘭陽境內沙土夾雜蘭陽以下儀封考城睢州寧陵商邱等處因歷次漫口沙多土少並有純沙之處大隄之上建築減水石壩既恐不能堅固測量外灘距隄遠者不過數段近則止數十丈外灘高於隄南平地七八尺至丈餘不等見今河勢日漸南趨外灘時長時塌形勢不一開挑倒句引河亦無作準之處其南隄洩水除灘水河久經淤塞惟賈魯河一道係洩水要路該河發源於滎澤縣之大周山由鄭州中牟祥符

尉氏扶溝西華等州縣至周家口入沙河自沙河經商水入江南太和縣境至正陽關淮河歸洪澤湖其入惠濟河一道即賈魯河之分支該河歷中牟祥符陳留杞縣睢州柘城鹿邑入江南亳州境內渦河下達淮河亦歸洪澤湖此二河離黃河大隄自十三四里至四五十里不等綿長數百里至千餘里不等現俱窄狹間有淤墊如須減黃必應大加挑濬兩岸亦應築堰攔禦第各河原爲分洩各州縣坡水一經築堰則坡水無路分洩必須於河之兩旁酌建閘座增挑汊港以資啟閉而洩坡水查臨黃隄工臣等逐段看視土性浮鬆實難建立石壩外灘亦無可挑倒句引河之處若就外灘寬廣隄工稍堅之處添建既恐盛漲時引水不暢未足以資分洩徒然有名無實若於大汛分洩得力處建設恐壩基不固易致傾圮再四商籌若僅就目前挑濬下游引河趕堵漫口合龍即爲了事倘不放心況臣等往來蘭儀一帶察勘高家寨一工即本年河勢坐灣由儀封舊城折轉東南衝出河道該處河內莊基樹根頗多一時難以衝刷寬深溜勢至此奔騰湍激是以高家寨甚爲險要本年伏秋汛內經臣蘭第錫等繪圖具奏蒙硃批指示彼時因水勢瀰漫未能施工今睢州漫口下段應挑引河見在加挑寬深若再將上游儀封境內高家寨河北

官亭一帶正河遵奉前諭重加挑深取直引溜北注則上下河道可以暢行新隄不至著重但此際當大工興舉之時勢難同時並挑且挑成後亦須水勢盛長時開放方能奪溜北趨臣等擬俟明春興工挑濬一俟汛水長發即行啟放可望得力得旨止可如此補救而已

乾隆四十九年十一月睢州漫工合龍○詳見祀典門御製河神廟碑記

乾隆五十二年六月睢州下汛十三堡河溢命大學士公阿桂馳往督辦十月合龍

嘉慶三年九月睢州上汛河溢四年正月漫口合龍

嘉慶八年諭嵇承志奏伏汛安瀾工程穩固情形一摺現在伏汛雖過秋汛方臨該河督益當督飭屬員敬慎巡防以期長臻鞏固再前此曾經降旨令河臣等於搶險各工一面興工一面將段落尺寸若干詳細奏聞以備查核今該河督摺內叙述搶險之處據稱祥北魁星樓迤東一帶廂做新埽七段其迤下之頭壩二壩等處搶廂新埽九段又下北廳補廂新埽八段蘭儀廳補廂新埽七段各等語未將工段丈尺詳細報明將來報銷時恐不肖屬員易滋弊混著該河督即查明地方丈尺先行具奏交部存案以便題銷時按款

查核此後俱著隨摺開單具奏

嘉慶八年九月衡家樓河溢命劉權之那彥寶馳勘河工九年三月合龍

嘉慶十四年諭馬慧裕淸安泰奏衡工大壩河勢北趨日見塌灘請盤護壩頭並估築越埝挑壩以資保障一摺該處工段因對岸及河心現在俱長新灘逼溜北趨若灘面日塌一交大汛水長不免直注壩前自應豫爲籌備所有二壩南面估築越埝挑壩均屬應辦之工即著責成該道廳赶緊興築於大汛以前一律完竣務使工歸實用

嘉慶十六年奏准中河廳中牟下汛河勢已成南北兜灣頂衝隄埽於大隄後自頭堡起至六堡止圈築月隄一道共一千五百丈以作重門保障

嘉慶十八年九月李亨特奏沁黃二河水勢異漲南岸睢工下汛二堡無工處所大隄坐蟄過水現竭力搶辦自請治罪諭李亨特本係棄瑕錄用之人玆又有睢州下汛二堡漫口之事可見其平日漫不經心疏防貽誤怠玩已極不能再爲寬貸著革職留於工次效力其河東河道總督員缺著戴均元補授接奉此旨即馳驛前往工次接印任事戴均元曾任江南總河於南河工員內有素知諳練堵築者一面奏聞一面調撥差委至該工督

辦緊要見在廣厚陛見來京並著於途次接奉此旨亦即馳驛赴工會同戴均元督率妥辦迅就合龍俟工竣後廣厚再來京陛見回湖南巡撫之任

嘉慶二十年二月睢州二堡漫口合龍

嘉慶二十四年八月蘭陽儀封北岸河溢奪葉觀潮職命吳璥馳往會同琦善堵築又命李鴻賓督辦漫口工程又黃沁廳屬武陟汛河溢命葉觀潮搶築贖罪

嘉慶二十四年九月諭吳璥等奏黃河北岸王家溝地方溜勢驟向北趨刷通沁溝匯注九堡馬營壩口門一摺黃河南岸蘭儀漫口尚未歸注一處今北岸王家溝地方又復將河濱高岸刷塌蕩灘北注刷成溝槽直通沁溝匯注九堡馬營壩口門已塌寬一百六七十丈掣溜五分有餘前派葉觀潮專辦北岸武陟漫口乃甫將溝槽五道堵合王家溝又復刷通實屬辦理不善若不嚴行懲治何以示儆著吳璥等即傳旨將葉觀潮先在北岸工次枷號北岸工竣再移至南岸工次枷號俾通工人員皆知儆畏俟大工合龍再發往伊犁效力贖罪該革員誤工曠帑此時姑免籍沒著伊自矢天良先竭力措交銀兩以助工需見在北岸漫口雖已掣溜五分餘正河尚有三四分著吳璥李鴻賓即在北岸上緊

設法搶堵能使北岸不成大工則南岸漫口尙易於爲力吳璥等務勉力辦理不可稍懈諉若此時先回南岸集料興工察看蘭儀二處漫工現已歸併何處督辦盤築壩頭各事宜俟北岸工竣吳璥等再赴南岸會同辦理可也

嘉慶二十四年十月命戴均元那彥寶馳往河南查看河工那彥寶留駐馬營壩督理

嘉慶二十四年十月諭李鴻賓奏不勝河督重任請另賜簡放一摺李鴻賓由京員出身於河務本不諳習但既自揣不勝河督之任則於簡放時即當據實陳明玆已視事兩月忽奏請辭職顯係因吳璥等辦工遲緩恐將來一同獲咎豫爲諉卸地步伊既不諳河工即留任河督亦屬無益李鴻賓著革去河東河道總督給予郎中銜留於河南專司大工錢糧

嘉慶二十四年十月諭葉觀潮前因疏防漫口革職枷號工次已足示懲現在李鴻賓降調一時簡用乏人葉觀潮平日尙諳河務加恩著即疏枷補授河東河道總督無庸給予頂戴如能奮勉出力速蔵大工再酌量賞給降等頂戴如不知愧奮則發遣不足蔽辜必當從重治罪

河南印刷局印

嘉慶二十四年十月諭吳璥由驛遞到奏摺朕以爲必係開工日期及披閱所奏乃稱現在立限趲挑引河仍以料物未能應手爲詞欲遲至出月方始擇吉進占太覺疲玩矣朕宵旰焦勞無一日不以大工爲念即本月初六日慶節正辰猶與軍機大臣等籌議河工情形期於桃汛前合龍乃吳璥等歷次奏報總以購料爲艱遷延觀望夫興工以購料爲急原在大吏認眞督催有延玩者即當嚴參示懲吳璥雖屬年老然以欽差駐工督催不得諉之呼應不靈琦善係本省巡撫道省官員皆其所屬尤應上緊嚴催迅速購運乃亦任聽所屬延緩毫無振作伊前次疏防漫口本應革職朕特予寬貸不加譴責何竟不知感奮吳璥琦善俱著先行拔去花翎戴罪圖功如果知愧知奮迅速蕆工再當量予恩施如再延玩必當立予嚴譴不稍寬貸現在發給工需銀兩幾及千萬儘足敷大工之用不准絲毫再行瀆請吳璥等接奉此旨務令月內擇吉興工進占趁此天氣晴和人力易於趲辦若延至出月一遇冰雪又將藉口耽延總之桃汛以前必須合龍吳璥等擇定日期先行具奏以後進占情形仍遵前旨進占至一百丈繪圖具奏一次二百丈再繪圖具奏一次二百丈後每得數十丈即具奏一次庶可按期計算合龍吳璥等當奮勉督辦不可

再涉因循有負委任

嘉慶二十四年十一月諭藏均元等奏馳抵武陟查看壩工引河及購運料物情形一摺本年馬營壩漫口自奪溜以來已一月有餘兩壩運貯稭料僅有一千餘垛是大工辦理遲緩竟由購料稽延所致吳璥等因屢經降旨飭催始奏於十月二十七日開工現在所購料物不過十分之一即使儘數動用進占至五六十丈時料物不能接濟勢必停工以待所關匪細吳璥係欽差駐工料物乃巡撫專責現在撥發帑項已將及千萬陸續到工無虞缺乏朕於來往河南大臣官員時常詢問僉稱該省本年未經被水地方秋成俱十分豐稔是產料不爲不多雖距工較遠總當設法赶緊購運歷來興辦大工原不盡在附近地方採辦料物豫省本係產料之區尚謂轉運艱難豈鄰省購運轉能捷於本省耶琦善本有疏防之咎今督辦料物又如此延緩著先革去頂戴暫留河南巡撫之任戴罪圖功即飭所屬於附近府州廣爲購買無分晝夜轉運赴工如再有貽誤吳璥等即行嚴參定將該撫革職治罪不稍寬貸吳璥等即督催挑挖引河一面尅期進占務期明年桃汛以前合龍全蕆大工不可遲延

嘉慶二十四年十一月命文孚馳勘馬營壩引河督催工料

嘉慶二十五年三月馬營壩漫工合龍

嘉慶二十五年三月諭豫省南岸三堡復刷成漫口緩塌至一百三十餘丈吳璥等於北岸合龍後遲延十餘日並不赶赴南岸迅速籌辦均難辭咎吳璥著革去太子少保銜以協辦大學士吏部尚書署理河東河道總督那彥寶革去都統降補內閣學士署理河南巡撫均撤回議叙葉觀潮著革去河道總督留於工次效力贖罪琦善著革去巡撫賞給主事銜隨同吳璥等辦理大工俟合龍回京以刑部主事用

嘉慶二十五年四月諭吳璥年老不能耐勞河督事務較繁精力恐難周到河東河道總督著張文浩以道銜署理專駐豫省籌辦大工及黃河隄岸各事宜吳璥俟張文浩到任將豫省應辦工程籌畫周妥交代後即馳驛前往江南查勘高堰水勢工程情形回京供職

嘉慶二十五年八月命吳璥督理儀封河工

嘉慶二十五年奏准儀封漫口以上南北兩岸各工內有河灘刷成溝形切近大隄最爲

險要應築做土格土壩以資攔禦大隄堰壩各工尚形單薄或幫寬接長或加高築壩以及河勢圈灣埽灘近隄處所並添築隄堰建築壩戗

嘉慶二十五年十一月諭姚祖同迅挑儀封引河

嘉慶二十五年十二月儀封漫口合龍

嘉慶二十五年奏准儀封大工合龍其大壩及挑水壩普律加廂堅實並添築挑壩二壩土戗幫寬舊隄圈築新工蘭儀儀睢二廳隄壩工程亦均修補

道光元年諭張文浩奏籌添馬營壩土埽各工一摺馬營壩內埽各面寬闊一經長水勢必更增浩大其越隄縷隄尚形單薄茲據該河督查勘月隄長一千三百三十六丈除舊廂護埽長二百九十丈外應於東面接廂護埽長一千四十六丈西首接連縷隄二保之秦家廠越隄迤南長九百五十一丈東首接連縷隄之東大壩尾迤南長一千九十二丈內廂做防風其越隄中間及西頭縷隄再於北面幫築寬厚半戗東大壩尾自北迤南長七百二十九丈幫寬加厚均著照所奏辦理

道光元年諭嚴烺奏豫省黃河兩岸隄堰加幫各工請撥銀款一摺豫省黃河兩岸隄工

自嘉慶二十五年盛漲以後節經增培添築並普加子堰本年伏秋兩汛幸臻穩固惟夏間河水漫灘之處灘既因淤增高隄即因淤見卑且子堰有較爲單薄者難資經久該河督以普律幫寬爲費過多現在籌估除於新築之堰幫寬加高外舊有隄堰或一面幫寬或兩面幫寬或頂上加高及添築戗埽塡補殘缺等工係爲隄防久遠之計答准其照估修辦

道光元年十二月署河東河道總督嚴飭承辦土工章程告示照得豫東黃河南北兩岸隄工抵禦盛漲保障地方關係至爲緊要自嘉慶二十四年以後節經動項加培但以工多限迫尚未能一律高厚道光元年伏前異漲出槽漫灘水抵隄根灘既因淤而增高隄即因淤而見卑並有汕刷殘缺之處仍應大加修築以資捍衛業經本署院奏請撥帑項數十餘萬普律增培仰蒙恩准發辦欽遵飭行在案查增培隄工必須遵照原估丈尺如式堅築依限早完方可捍禦大汛防守無虞現屆分派員弁興辦之時恐有不肖工員領銀到手任意侵漁及至開工興築一味偷減草率爲一己漁有限之利而貽百姓以無窮之殃無論淸夜捫心不堪自問且一經敗露三尺具在何能倖逃況國家經費有常仰蒙

脈念民依不惜數十萬帑金以爲民生保障倘工員狃於積習罔知重公不獨法所不容即揆之本署院誥帑衛民之心亦斷有所難貸與其懲辦於事後不如告誡於事前所有現定辦工章程合亟詳晰開列剴切曉諭爲此示仰承辦各工員即査照後開章程一體恪遵湔除積習認眞妥辦統限八十日一律如式全完報候本署院臨工査驗自此示諭之後倘有鋪底短窄收分不足或硪工短少錐試滲漏以及隄根取土幷土塘不留埂格等弊定將承辦工員從嚴參辦決不姑容愼勿泄視自貽後悔勿謂言之不早也

計開辦理土工章程

一新築加培土工丈尺不准稍有偷減也查本年大案土工本署院於霜降後即委妥員逐細勘估又經各該道覆勘均係必應加培之工斷斷不容稍減該工員於開工安夯時即照原估量准丈尺鋪足底土按坯照收分遞加不得推頂凹腰掛口接爪該管廳營及分催員應隨時査量毋許朦混倘仍有短少偷減經本署院臨工按册査出除將該工員及管工人等斥責㪚築外該廳營及分催之員均干未便

一未鋪底土以前應將估築隄工之灘面先行芟除草根再打地硪以免日後滲水也査

河水漫灘時往往隄腰滲水此皆從前加幫隄工不打地硪之故因河灘新受淤土多有裂縫以致水隨縫入經水泡日久遂有滲水之患此次加幫隄工未上底坯以前於應加幫灘工先行芟除草根再打地硪兩遍方准上土倘有不打地硪即行上土者該廳營及分催將管工人隨時懲處仍嚴押遵辦

一土工偷底之弊應嚴行查察究辦也查土工之弊偷底最大不肖工員任聽土夫於隄根取土上隄既可貪近省事而工完收工時灘面量高又可藉此弊混殊堪痛恨今定以離估幫新底十五丈以外取土其十五丈以內所存草根麥苗留以為護不許稍為挖動即近隄之處有淤亦不准混挖本署院收工時先查驗土塘下方再驗新幫隄外及土塘兩面草根麥苗是否一律倘有偷底之弊除將該工員嚴行參辦外該廳營及分催如不預先稟知亦必附參決不寬貸

一按坯築做務須薄坯重硪錐試不漏也查築做隄工加幫加高均須如法按坯遞加先將舊隄開出八寸馬蹬每上虛土一尺為一坯趁濕跴花夯打打成八寸方可處處保錐近來工員幫隄不肯粉蹬勾坯並希圖省費不肯多僱硪夫查硪有輕重之分如燈臺式

者其腰細面凹而底面轉大重不過三十斤即用力亦不能堅實如式各工員見此等之硪毋許保竟自貽伊累其如磙子式者最爲沉重可用但如硪夫十人中有一二人不合手者築打即不能平正以致形似馬蹏印如此等硪夫雖重亦不保錐務須隨時留心更換至硪夫包方固免偷閑躲懶之弊但因係計方包打硪夫往往只圖赶快偷打單片不肯壓花用力是以錐試多有滲漏之處此次工員等務要每日計上土之多寡定用硪之架數萬不可曬坯待硪其兩棚土夫接笋處尤不可聽其深留溝槽隨後澆土硪不得手以致多不保錐約計套二連包坦在內每硪一架每日打不過四十方若遇老乾淤須先將大塊敲碎並於坯頭上潑水潤透再行用硪套打飭令管工人隨時查看錐試一有滲漏之處即刻再行套打倘有不遵即行稟究至本署院收工時隄頂隄坡之土仍以乾燥候驗不得臨時潑水以圖搪混再鐵錐必須細長連耳四尺爲度錫壺嘴亦須細而長者倘有用大厚坯頭以致築打不能堅實錐試不能保者即隨時懲處至試錐所灌之水間有用白芋山藥橡樹皮粘魚等項做水取粘希圖飾混者尤爲狡詐可惡本署院臨工一經驗出定即將該工員參革不貸

一取用土塘應嚴禁挖成河形以杜隱患也查取土無論隄裏隄外總應遠離隄根抽立土塘其灘面必須挖成品字或梅花塘務須挖深爲主既可淘取淤土而河水漫灘時隄內又易於受淤四面仍留寬厚土埂不准順長一片取土亂插土塘致成順隄河形留爲隱患即隄外亦防雨後積水將來更難取土本廳營及分催須隨時指示督辦倘有前項等弊經本署院查出決不姑寬

一務須依限完竣以禦汛漲也查本年大案土工專爲捍禦汛漲今酌中定限於二月初十日以前興工予期八十日統限以閏三月底完工限期不爲不寬自可依限完竣各工員務須以工計土以土插夫如每工員派土三萬方者以八十日爲限每日須上土三百七十五方以底坯頂坯牽算每日每人推土七八分而計共需人五百名每段安工時亦照此科算如每丈原估加新土三十方者每夫一名安工二丈原估加新土二十方者每夫一名安工三丈以此而計不可短少則限期自然不致遲悞即土夫之勤惰各工員亦可隨時查察倘有人夫不足之處該廳營及分催務當隨時飭令添足逾限定干嚴究不貸

一築隄新土必須選取純淤以資經久也查本年土工委員勘估時本署院即飭令逐段查看離估淤土其無淤之處亦應淘挖深塘及遠處找尋是以於淤少之處原估例價之外酌加津貼各工員務須飭令管工人等時時查察不准混用沙土其沙土一經風雨剝削必致丈尺不足且遇大雨時行所冲水溝浪窩甚大土工本係保固一年各工員時常填墊不免賠累豈有甘心賠累不肯選取淤土之理但管工以及辦工人等只圖自已易辦不顧工員保固是以往往遇有淤土之處亦必偷用沙土蓋沙土做工各樣省事即如土車因沙輕淤重兼以陰雨之後淤土粘膩車輪尤屬難推必須曬晾一半日方能施工不如沙土雨止之後即可取用硪夫於淤土之工一經遇雨粘硪沉重不便夯打不如沙土易於行硪管工之人取用沙土如法行硪後錐試可以不漏如係淤土潮濕行硪後雖可保錐一見風燥面上即有裂縫錐試必然滲口凡此管工以至車硪等夫均以畏難不願取淤即使有淤之處亦常以爲無淤全在各工員自顧考成隨時查看淘取斷不可聽管工人等朦混其淤土實在艱難之處即不能全用淤土築做亦必選淤進坦包築愈厚愈好俾免風雨剝削可資經久無虞況淤土雖有風燥裂縫如果築做堅結四五寸以下

錐試即不致走漏此本署院素所深悉者倘敢有淤不用一經本署院查出除刨築外仍將工員參辦不貸

一本廳營及分催人員務須輪流往來嚴密巡查毋許稍有偷隱也辦理土工必須處處堅實丈尺數足爲主該管廳營乃切己之事而分催又係遴委幹員各有指示調度責核勸懲之責即如各工鋪底則隨時丈量是否豊足土塘則隨時查看是否合式人夫則隨時查點是否足數坯頭則隨時錐試是否堅實如有稍不如式則隨時責懲刨築俾各工員及管工人等無從弊混倘有不聽調度許該廳營及分催即時具禀以憑懲辦各工員內如果取用淤土如法築做丈尺豊足錐試均保該廳營分催據實具禀該道覆驗轉禀本署院驗收如式必將該工員據實保奏候補試用者必予即補現任者即予升用倘辦不如式輕者斥責刨築重則立予參革其本廳營及分催所管工內均能如式者亦必保奏倘如式不及五成者亦必將該廳營及分催附參處分本署院言出法隨各工員人等均宜凜遵毋得自悞致貽後悔勉之慎之

道光二年河東河道總督嚴烺議覆馬營挑壩緊要碎石並無流弊疏曰竊臣於三月初

三日承准廷寄道光二年二月二十八日奉上諭前據嚴烺會同羅含章奏馬營挑水壩必應拋護碎石當經降旨准行茲據羅含章奏覆勘挑水壩情形原非專爲攔沁歸黃而設沁水力弱即遇有沁黃並漲亦不致遽壞隄根但得沁隄高厚不使漫溢河水一退沁水自然歸黃不須攔截且挑水壩正當河水之衝即拋護碎石亦恐不能持久徒滋勞費萬一河由內走則石壩反在河心不可不慮等語挑水壩之設既非十分緊要拋護碎石轉恐別滋流弊著嚴烺羅含章再行悉心妥議如果窒礙難行是挑水壩拋護碎石工程竟須停止不必興辦惟上游沁河官隄民埝必須一律幫高培厚嚴烺等即督飭赶緊估辦以資捍禦將此諭令知之欽此當即恭錄一分寄知臣羅含章先後跪讀下忱欽感非可名言伏查近年黃沁衝糧一帶隄岸之患莫大於沁水之沿隄東走而漫灘之黃水乘乎其後以致掣動河溜衝嚙隄根使長隄處處著險故欲固黃河北岸之隄工必先除沿隄之沁水而欲除沿隄之沁水惟有守上游馬工挑壩以攔截之從前黃河灘唇積淤不厚沁水自北而南循軌入黃尚無頂阻自嘉慶二十四年黃河異漲灘唇增淤沁水入黃之路節節淤高加以沁河之原村漫口不由故道入黃灘面愈淤愈遠沁水力弱既不能

刷灘而南即不免順隄而東馬營漫缺掣動黃河正溜即其壞及隄根之明驗迨馬工堵合即藉此挑壩攔沁東注得以併力南趨黃水一落沁水即隨之而消是挑壩工程雖非爲攔沁歸黃而建而因時利用固不可執一而論兩年以來挑壩攔禦之力已經著有成效惟因壩身係柴土廂做易於朽腐每次鑲廂之工費用不貲終恐未能持久是以酌議間段估拋碎石其已拋碎石之段不復再用柴土加廂即可固守久遠爲一勞永逸之計若以該壩係堵築馬工大壩而設竟欲棄而不守必致沁水無所攔抵地勢南高東窪水即串窪東注順隄成河自黃沁至衛糧兩廳無埽之隄不下二百里土性純沙斷無如許錢糧在在廂埽倘再過黃水漫灘匯入順隄河內添波助瀾掣溜迅猛即將大隄倍加高寬亦恐難資抵禦是挑壩爲黃衛兩廳安危所繫實屬至緊至要未可稍存忽視也至埽前拋護碎石可資經久穩固臣嚴烺前在南河歷經辦理現今江南各險工於拋護之後均皆屹立未見一處冲塌而拋過碎石之上下各埽仍照舊廂修并無格礙且碎石壩工不惟可以捍禦大溜其壩之後尾經黃水縈洄蕩漾並可次第澄淤倍臻堅久即使河勢北徙得此堅穩之石壩挑溜開行亦不致發向裹臥生險是溢在均有得力之處並無別

滋流弊之患也臣嚴烺節將各項情形並估拋碎石實能保其持久緣由詳細往返札商臣羅含章前次覆勘該工時將挑壩迤西迭加查看並未見有沁水傷及隄根之處此壩挺入河心正當河水之衝恐拋護碎石亦不能久且現擬拋護碎石之內裹數段係在沙灘之面萬一黃水由上流逼隄而來恐石隨沙卸不護隄根轉確支離反礙廂埽不敢稍存迴護是以專摺陳奏今既據河臣嚴烺詳述各情幷力言碎石工程實能保護垂久不致衝隳滋弊臣羅含章於河工究未熟習臣嚴烺係專管河工之員職任攸關責無旁貸自應仍聽臣嚴烺斟酌請照原議辦理以專責成而免歧誤至接連挑壩黃河官隄及上游沁河民埝現均分別估辦

道光二年八月沁河溢命程祖洛勘辦

道光十二年河東河道總督林則徐奏覆東河碎石工程情形疏曰自到任以來將碎石檔册逐一檢查從前豫東黃河本無拋護成案因道光元年前兩江督臣孫玉庭南河河臣黎世序會奏以碎石工程實資鞏固並無流弊東河從前未拋碎石是以漫決頻仍請飭一體照辦等語旋奉諭旨飭令仿照兼辦二年春間前河臣嚴烺覆奏請於北岸黃沁

廳馬營挑壩酌量試拋纔因河勢不定僅拋兩段而止迨五年間調任河臣張井以南岸蘭儀廳柴壩工程險要議辦碎石兩次奏准拋護一萬四千八百餘方該處險工因成平穩迨後北岸之下北祥河曹考南岸之中河下南等廳先後仿照請辦經嚴烺節次奏准各在案隨於兩次上隄周歷查防並詢之年老兵民咸謂未辦碎石以前誠不知其有濟與否既辦之後每遇險工緊急潰埽塌隄力加拋護即不至於潰塌功效甚著等語臣於伏秋搶險雖未經歷而人言鑿鑿異口同聲因就埽前有石之處細加測量悉心揣度緣埽工勢成陡立溜行迅急每易淘深是以埽前之水輒至數丈而碎石斜分入水鋪作坦坡既以保護埽根並可紓迴溜勢考工記所謂善防者水淫之似即此意也豫東河隄多係沙土不能專恃爲固隄單而護之以埽埽陡而護之以石總在迎溜最險之處始行估拋蓋東河採運碎石比南河遠近懸殊方價倍蓰難以多辦而其化險爲平頻歲安瀾之效未嘗不資於此是碎石之於河工有益實可斷爲必然而非敢隨聲附和者也　互見經費門

道光十六年奏准黃沁廳屬唐郭汛攔黃堰工尾內向有挑水壩年久坍塌現購備磚塊

拋築磚壩又於七壩下築挑壩一道並修補已塌之八壩戗壩復於空當築壩三道層層托溜下南廳祥符上汛黑堽工十九堡向有蓋壩一道陸續坍損現以磚石裹護並接築壩垛又挑築磚壩自該汛起至陳留汛止估築土壩並將舊有壩格加高接長擇要幫培隄戗逐段攔護以免喫重

道光十七年七月諭前據御史李蒓奏請將東河磚工暫停燒造當有旨派敬徵馳往查辦並命李蒓隨同前往茲據該尚書查明具奏所議甚是據稱道光十五年該河督栗毓美因原陽一帶隄工喫重本係無工處所物料不備即時收買民磚拋築搶護試有成效因欲多辦磚工以期減埽節費該尚書周歷履勘下北祥河等廳拋成蟄定之工底盡碎石根淺土戗現在尚屬整齊並據各道廳稟水淺溜緩之處拋磚底石以及保灘護隄均堪得力其水深溜急之處有磚石並用放手加拋始經站定者有屢拋屢塌改用埽工方能穩固者用磚搶辦險工未可深恃等語治河之法不外以土制水取其柔能抵剛碎石質重體堅用以防風護埽亦得剛以濟柔之義磚本土成原可濟料石之不足於河工亦不無裨益該河督前請沿隄立窯燒造新磚本為搶辦要工起見惟土性沙堿坯難堅

河南印刷局印

實且近隄例有取土之禁近料宜防意外之虞行之日久流弊滋多是燒磚不如採石之無弊用磚不如用石之一勞永逸也著栗毓美即將拋磚工酌量壓石澆土以期穩固所有未拋之磚嚴飭道廳覈確切報明存貯河干以備應用毋庸再行燒造以符舊制而杜弊端

道光二十一年六月諭文沖奏搶堵漫口人力難施見已掣溜一摺前因下南廳祥符上汛三十一堡隄頂漫塌疊經降旨著該河督趕緊設法搶堵茲據奏稱見在漫缺之處已刷寬八十餘丈掣溜七分文沖身任河道總督河務是其專責乃未能先事防範致有漫口咎實難辭文沖著即革職暫留河東河道總督之任戴罪圖功即著督飭道廳營汛各員趕集料物設法搶辦倘能迅速蕆工其咎尚可稍從末減若再玩延貽誤定當重治其罪決不寬貸所有口門以上兩岸四廳各處隄工並著飭令文武員弁實力防範毋稍疏虞牛鑑著交部嚴加議處所有漫工事宜著協同趕緊辦理

道光二十一年七月命林則徐折回東河効力贖罪

道光二十一年七月諭牛鑑奏河南省城自上游水勢大溜掣動以後由城北護城隄衝

入斜向南行刷成深槽直衝而下黃水經過之處已成河形去路已暢不至再有他虞見
在南北兩岸各廳料物接濟間段赶築挑水壩三道外砌磚坡深資抵禦等語現當伏秋
大汛來源正旺水勢靡定牛鑑務當督率文武員弁極力設法疏濬毋令省垣受衝
道光二十一年七月命大學士王鼎通政使慧成赴東河督辦大工
道光二十一年七月諭牛鑑奏保守省城情形一摺據奏正河業已斷流各廳無工可施
護隄缺口勢難搶築惟以保守省城爲要等語著牛鑑仍遵前旨多集夫料赶緊厢築現
在秋汛方長該撫保衛省城責無旁貸不得藉口水勢漲發人力難施致有疏失至旁溜
注射之水亦著設法疏消以免浸灌其下流歸宿之處得有確耗即行迅速奏聞
道光二十一年七月諭牛鑑奏省城水圍市月來源盛漲見在喫重情形一摺據稱省城
自黃水全掣以後西城稍見安定北城又添分溜注射勢漸裂臥情形更爲危迫其餘四
面久泡酥損等語著牛鑑設法疏消以免浸灌其如何挑溜勿令水勢衝射之處仍著悉
心妥辦見當秋汛正長尤當加意防護毋得再有疏虞
道光二十一年八月諭牛鑑奏省城西北角以至西門赶緊作挑水大壩以資抵禦等語

著督飭文武員弁將應辦各工迅速妥辦見在節交白露可冀水漸消落仍當察看大溜勿令衝射撙節料物不敷已降旨飭令文冲赶緊運赴省城源源接濟不准稍有遲延該撫驗收料物後即派熟習幹員督率夫役分工堵築毋得遲緩悞事至省外被水各屬亦應查明派員撫恤下游水勢作何歸宿仍遵前旨確查具奏

道光二十一年八月諭前據牛鑑奏署藩司張祥河因省城被水稟商河督欲於上游胡家屯一路設法宣洩等語當交王鼎等前往查辦茲據奏稱查詢該署藩司實因省城危迫衆紳民等均以上游設法宣洩爲詞據情稟商河督原非意在必行取具親供呈覽張祥河以藩司大員於省城猝被水圍之時輒據紳民之請遽爲稟商殊屬輕率張祥河著交部議處

道光二十一年八月諭文冲身任河道總督河務是其專責乃未能先事豫防致有漫口當經降旨革職暫留河東河道總督之任責令戴罪圖功以觀後效乃遷延日久並不赶緊搶堵致大溜全行掣動下游州縣多被漫淹靡帑殃民厥咎甚重著即革職交王鼎等傳旨即將文冲枷號河干以示懲儆

道光二十一年十月江南河道總督麟慶奏遵查黃河大溜直奔河南省垣西北城角分流爲二股向東南下注至距省十餘里之蘇村口又分南北兩股其北股溜止三分南股溜有七分計經行之處河南安徽兩省共五府二十三州縣被災輕重不等

道光二十二年二月諭王鼎等奏祥符大工合龍摺上年六月河南祥符上汛漫口當派王鼎慧成前往會同朱襄鄂順安籌辦堵築事宜茲據奏稱二月初八日兩壩挂纜合龍倘未盡行閉氣恐有滲漏經該大臣等駐工督率員弁兵夫不停力作現在大工告竣層層壓實涓滴皆無十分穩固引河亦通暢東注全黃悉歸故道所有一切善後事宜著朱襄妥協經理倍加詳慎以期隄防鞏固永慶安瀾

道光二十二年十二月河東河道總督慧成飭照得豫東黃河南北兩岸應修隄工業經本部堂奏請帑項擇要修築惟防河之道首重於隄必須勘估維實築做方臻堅整第恐工員狃於積習罔知重公草率從事本部堂案查辦理土工舊章極爲周密合亟開列剴切曉諭並發去告示一本爲此仰道官吏查照事理即將發去告示照樣刊刻轉發各工員按段張掛俾承辦工員咸使聞知恪遵辦理該道仍上下往來躬親督辦倘查有不遵章

河南印刷局印

程敢於偷減草率之員即據實禀揭以憑儘法嚴參如敢徇隱並干未便此係特示之件慎勿視爲具文一行了事當此整頓之時惟有言出法隨以一警百斷不能稍從寬貸仍將遵辦緣由先行禀報查考凜之慎之毋違切切 按辦理土工章程悉照元年嚴任所發不復列

豫河志卷七　工程上之三

道光二十三年七月河東河道總督慧成奏稱陝州萬錦灘黃河於六月二十一日長水五尺五寸武陟沁河於初八初九初十二二十二十一日十次共長水一丈五尺三寸當二十一日沁黃並漲之時加以入伏後無日不雨衆水隨注以致各廳積存長水大於上數年兩岸普律漫灘汪洋無際臨黃磚石埽壩紛紛報塌臣上隄後行抵歸河廳工次接據中河廳稟報中牟下汛八堡工程異常危險緣該處於嘉慶二十五年曾出大險廂埽二十餘段至道光二年淤閉迄今二十餘載不獨埽壩久經淤沒無存而灘厓墊高已非從前情形可比本年入伏前後該工對岸忽生灘嘴挺峙河心逼溜南趨隨及隄壩當經開歸道福敏馳往督廂埽工二十餘段藉資抵禦不料六月二十一日沁黃並漲大溜湧注新埽先後全行蟄塌趕即集料搶補甫廂出水溜勢下卸至九堡無工之處偏値二十六日大雨一晝夜二十七日黎明繼以東北風大作鼓溜南擊浪高隄頂數尺兵夫不能立足有力難施九堡隄身頓時過水全溜奪入南趨口門當即塌寬一百餘丈等情臣聞信之餘心膽俱裂遠在下游相距三百里外冒雨連夜馳赴該工業已無及所有該工現在

情形因溜仍南向口門尚在續塌臣即駐工籌辦盤做裹頭事宜不敢懈忽其口門溜勢係由東南下注至水由何處州縣行走並經撫臣委員確查另行具奏奉諭慧成奏中河廳九堡隄頂過水奪溜南趨一摺著該河督督飭道廳營汛各員赶緊籌辦盤作裹頭事宜毋得再有懈誤慧成身任河督未能先事預防著交部嚴加議處鄂順安兼轄河務亦著交部議處疏防之專管中河通判王葵初協備張廣業並防守之中牟下汛縣丞張世澂把總辛得成均著即行革職兼轄之中牟縣知縣高均著交部議處開歸道編敏到任僅止半月開封府知府鄒鳴鶴現令專管城工惟均有兼轄之責咎亦難辭著一併交部議處

道光二十三年七月命協辦大學士戶部尚書敬徵戶部右侍郎何汝霖赴東河查勘

道光二十三年七月諭據慧成奏中河廳九堡口門現在籌款集料盤築裹頭並擬估攔黄壩及溜勢情形一摺中河口門既已刷寬二百餘丈大溜圈注東岸南趨自應將西岸裹頭赶緊盤做至東岸形勢俟稍定後亦應赶築以免再行塌寬著敬徵等於到工後督飭在工文武員弁迅速集料赶築裹頭並飭將攔黄壩上緊辦估俾正河不致受淤現在

秋汛正長水勢靡定該尚書等務當詳加履勘嚴飭工員等加意修守毋得再有疏虞

道光二十三年閏七月敬徵何汝霖慧成鄂順安奏稱東壩裹埽長八丈上寬二丈二尺下寬二丈八尺埽高水面一丈六尺其上下藏頭雁翅二埽亦俱節次加寬復於雁翅埽之下作護崖埽一段以防洄溜汕刷又因溜勢東趨金風司令恐正埽淘深墊陷於藏頭埽上首新拋石壩一道以資抵禦西壩裹頭埽長八尺上寬二丈九尺下寬三丈五尺其藏頭雁翅二埽寬長如式該壩頭灘面較前愈寬可期穩固仍嚴飭預儲料物以備緩急不得稍懈修守再有疏虞其攔黃土壩因天氣晴霽人夫衆多按照原估高寬丈尺現已一律築完查量相符亦屬妥固至估辦堵築大壩挑河等工前經派員分投估計尚未據查勘詳報

道光二十三年閏七月諭慧成身任河道總督河務是其專責乃並不先事豫防致有漫口前已降旨革職暫行留任見在口門塌寬至三百餘丈下游州縣較之上次祥符漫口情形更爲寬廣糜帑殃民厥咎甚重著即革任交敬徵等傳旨即將慧成枷號河干以示懲儆

道光二十三年閏七月命工部尚書廖鴻荃往東河會同鍾祥督辦中牟大工

道光二十三年閏七月諭麟慶著發往東河交廖鴻荃鍾祥差遣委用

道光二十三年閏七月廖鴻荃奏查勘中河廳九堡口門現在黃水情形疏曰　月十三日前往中河廳九堡抵缺口處所南望一片瀰漫隨用大船九隻勻排水面下錨拴樧以篾繩橫船上逐細丈量計口門東西相距實寬三百六十餘丈乃知外間所傳爲五六百丈者係指舊隄而言緣該處河流彎環形如張弓就弓背而論固不止此數就弓弦計之則實止此數即將來兩壩進占做法須迎上水微向外越要亦不過四百丈以此須臨時察度水勢刻下尚難豫定復於口門中間用丈竿測量計深二丈一尺及一丈七尺口門外跌塘約深二丈七八尺此因口寬水勢平衍故不甚深然土性純沙恐堵合時口門收窄沙鬆溜急衝跌當益加深臣又遣司員乘船自九堡溯流而上將至八堡擄窠中泓水深大抵二丈及一丈餘尺不等比較上兩年秋分第十三日該處水誌俱少數尺第節氣未交霜降黃流長落正自靡常臣已與鍾祥面商檄飭上游各廳汛仍當倍加嚴防不得稍形疏懈至兩頭裹埽及攔黃壩等工業已完竣丈尺做法均與敬徵等原奏相符其引

河頭東西壩基挑水壩基亦經敬徵等豫委素諳河務之員弁擇地勘估插立標竿爲識
臣前往相度似覺得勢然關係至要未敢草率擬俟麟慶到時委令詳愼覆勘臣與鍾祥
再行核定奏聞

道光二十三年八月督辦中牟大工事宜工部尚書廖鴻荃河東河道總督鍾祥奏循例
調用南河員弁來豫襄辦大工疏曰臣等歷稽成案東河有事但調南河熟練文武員弁
襄理緣南河工繁任劇多諳堵築事宜不特廳營員弁於勘度壩基河頭及捆廂進占之
法素有傳授即河兵中亦多練習其事者若東河則自馬工儀工而後二十餘年河工安
定以故河兵漸忘做法迨至祥工初擬用本地河兵因不得力復奏調南河河兵來豫襄
助是以此次大工必得仍照向例調取南河員弁帶領捆廂兵來庶可放心查江南河營
參將盧永盛精曉河務合無仰懇敕下江南河臣先將該參將盧永盛調遣赶於九月初
十日以前到豫令覆勘引河頭壩基形勢再於各廳營中擇其曾歷大工熟諳能事者各
派兩三員帶領捆廂兵隨後來豫查從前馬工係調南河兵四百名儀工係調六百名
祥工係調四百名現距祥工閱時未久本地河兵諒亦有能諳曉者酌調三百名可期得

河南印刷局印

力並令豫省兵夫隨同學習廂捆實於河工大有裨益

道光二十三年九月命禮部尚書麟魁往東河會同廖鴻荃鍾祥鄂順安督辦大工

道光二十三年九月諭慧成著疏枷加恩留於河工效力贖罪即交麟魁等差遣委用

道光二十三年十一月督辦中牟大工事宜禮部尚書麟魁工部尚書廖鴻荃河東河道總督鍾祥河南巡撫鄂順安奏查明上游河勢實無淤塞情形疏曰竊臣廖鴻荃臣鍾祥臣鄂順安於九月十三日承准軍機大臣字寄道光二十三年九月初八日奉上諭御史齊承彥奏黃河上游聞有淤塞請飭在工大臣會同河臣查勘一摺據稱小函關土山坍塌擁塞水勢雖現在業經過水仍流至漫口而出恐河底一時未能刷通來年伏秋大汛如遇盛漲挾沙帶泥而來防有壅阻等語著廖鴻荃鍾祥鄂順安會同查勘如果小函關淤墊屬實自應設法疏濬俾暢行無阻以期河流順軌又另片奏疏通黃河之法惟爬沙船及混江龍可以蕩疏淤塞並切灘一法似可循照辦理等語是否可行著廖鴻荃等體察情形悉心妥議具奏原摺著鈔給閱看將此諭令知之欽此臣等查該御史原奏稱七月十四日陝州靈寶縣因黃河陡長西去漫入小函關數里土山坍塌正河斷流黃水由

西南下注襄江又稱陝州之萬錦灘爲全河一綫咽喉通塞最關緊要即禹貢所謂底柱今陝州之三門山是也今聞小函關土山坍塌自必淤墊壅塞水勢斷難暢順等語伏思中牟大工正在興築其上游河身是否通暢必須查明籌辦以期有備無患惟嵩寶陝州距中牟八百餘里臣等因大工吃緊未能親往勘視當派熟悉河道之署歸河通判鄒堯廷帶領明練弁兵並寘繩等物沿河察看逐段探量去後嗣臣麟魁到工臣等謹將廷寄告知並會同商辦茲據該署通判稟稱於九月奉檄後即由上南廳之楊橋胡家屯溯流而上至滎澤之洄河一路水勢順行無阻逾河而西由廣武山歷汜水鞏縣偃師孟津等縣兩山夾峙河水中流滔滔下注溜勢極爲平順由孟津上溯新安澠池河中有灘灘皆亂石縱橫水甚湍激澠池以上爲三門山即禹貢底柱南北皆危崖峭立河流盤渦旋洑南岸突起小阜土山戴石禹王廟即建其上廟山之石迤邐而下壁立水涯東西數十丈河中二大石對峙河出二大石之間者爲神門南岸爲鬼門北爲人門神門寬三十餘丈深不能測人門寬二十餘丈水深約二丈餘鬼門寬僅二十丈水深不過五六尺隆冬時惟神門之水如故餘皆乾涸其河底俱整石相連中窪旁高若石槽然約計禹廟高於三

門一丈有餘居民僉稱向年盛漲三門山出水尚有丈許本年七月十四日河水陡發直漫三門山頂而過禹廟亦被沖刷由三門達陝州萬錦灘計六十里灘在州北門外州城高河灘十餘丈灘距水面二丈餘陝州而上爲靈寶縣黃河去城北三里函谷關在縣西南二里按函谷秦關故城在縣南十二里今之函谷則魏時許褚鑿道於舊關之北十里濱大河以轉運雖距河較近然兩旁土山陡起關跨其中尚無坍塌痕迹又有弘農澗水環關之南東北入河居高下注黃亦不能倒灌關外河身寬一百八十丈水深四丈城北河寬二百四十丈深與關北相等溜勢暢行徧詢鄉民實無他故二十里至稠桑又四十里至閿鄉縣縣城臨河土崖上大河由西來斜向東南直走崖根崖本沙土叅半易於坍塌嘉慶十八年道光四五年等年北城陸續塌去本年六月黃水疊發刷去碎石坍坡連及東城北縣署後堂極爲危險幸七月十四日黃水復漲溜忽北趴歸入老河身內崖下漲出乾灘現寬九百餘丈灘高水面二丈九尺河身寬一百八十丈水深二丈三尺溜行甚暢可保無虞沿河行至潼關爲陝豫分界處大河即在關下現寬二百四十丈水深二丈一尺溜雖平而勢甚利等語臣等詳查黃河大勢自潼關至閿鄉兩山相去頗遠水勢

故倘平緩靈寶以下山漸過河亦漸陡澠池新安一帶怪石嶙峋千仞壁立兩山夾河直至孟津俱係石底無倒流旁灌之路今年土山塌入河身乃閿鄉縣事並非靈寶之兩關現在閿鄉河身水深尚二丈三尺其無壅塞之處自屬可信況靈寶縣北臨大河東接陝州西接閿鄉南接盧氏西南與陝西雒南縣接壤去南陽七百餘里去湖北襄陽則千里而遙並有屏障疊巘如秦嶺及老君伏牛諸山横隔其間河雖猛迅又安能越山旁洩而注於襄江乎至陝州萬錦灘居三門山上游每歲清明始立誌樁霜降即徹黃河水報必於此者以下有三門阻扼水去不能迅疾極馬之力可以行及水前是全河咽喉不在萬錦灘而在三門山若三門山則固天之設險以蓄河勢而無庸疏鑿矣總之上游水勢蕩迅無停淤之所山嶺重複無他出之途每當伏秋盛漲河水怒發一瀉直下縱有泥沙亦隨之而逝由漢迄今千有餘年未聞有於上游加疏治者彼夫漢鑿底柱唐鑿三門特爲漕計並非治河豈眞置此於度外歟地勢然也迨至滎澤以東地勢坦夷隄防之功自不可少昔明臣潘季馴及前河臣靳輔治河最著其要不過固守隄埽束水攻沙二語若爬沙船混江龍及鐵篦子杏葉爬揚泥車等物均經前人設法試行迄無成效緣黄河來

河南印刷局印

源甚遠時長時消淤激沙行趨向不定即能將淤處挖淨不能禁水過復淤即能將淺處挑深不能禁他處又淺故此等器具施之南河則可施之黃河則不可切灘一法則亦切灘之在水面者而已至水中之灘隨切隨長非人力所能爭况上游地勢陡峭河身又極深通應請無庸另籌疏濬惟下游地既平衍河流迂緩每有淤高之處然亦非爬沙船等物所能奏效臣鍾祥惟有飭令各廳汛員弁於隄工單薄之處加高培厚以期放河時束水刷沙一律深通此外實無善策

道光二十四年正月麟魁廖鴻荃鍾祥鄂順安會奏查中牟大工丈尺較長而河底又係純沙施工倍難廂築宜穩臣等屢經督飭員弁妥速進占並加壓重土以防蟄動惟豫省交春以後向多烈風而河邊沙土相助其勢尤猛每間三五日輒值一次動即數晝夜不止當狂飆怒發之時洪濤沸地巨浪掀天兩壩十分危險祇得拋石壓土保護已成之占斷不敢再做新占以故壩工不能迅速兼之河底沙質浮鬆最易淘刷口門收窄溜勢湍急愈刷愈深撈探進占倍形艱苦向之每占撈五丈餘者今則窮日夜之力亦不過撈三丈而止向之兩日可成一占者今則四五日一占尚不能十分堅實必須加廂至二十餘

坯用從前三四占之工料方可站穩初五初六兩日風雪嚴寒人夫踡伏該掌壩等激勵弁兵赶緊追趲不辭勞瘁初七日天始晴和引河積凍稍融正擬試放清水催劄河頭老土不意初八日寅刻又起東北大風浪湧如山東西正壩及上下邊埽無不隨處撞擊搜根刷底倍形危險臣等於風沙之中督飭員弁兵夫加緊廂趲無如風勢愈發愈狂埽占亦隨廂隨蟄至申刻東正壩陡蟄十二三丈水勢洶湧激浪翻波以出水三四丈之埽占有蟄入水中者有蟄及水面數尺者其東壩捆廂船二隻埽推風鼓竟將攬腦纜繩全行掣斷兩船衝擊歪側欲斜均經損壞並將戧繩小船撞入西壩埽中攬纜船飄去三隻西正壩亦蟄丈餘而情形較輕兩壩之上下邊埽俱稍有蟄動之處緣正壩較邊埽長做數丈適當溜頭而大溜東趨風向西吹激成迴溜故東壩倍加喫重臣等目擊之下焦急難名無分昏曉儘力督催並加買土料不敢須臾少息竭四晝夜之力始克將兩正壩及上下邊埽廂築高寬並於上邊埽外多拋塊石以防衝擊其捆廂等船隻多僱人夫拉回赶緊收拾完固以備拄纜出占乃十三日復遇東北狂風東正壩並邊埽又微形蟄矮臣等仍駐壩頭督令搶廂至十四日風始少息兩壩幸得保護平穩現在東壩埽前水深九丈

二三尺西壩埽前水深八丈七八尺口門尚剩十四丈九尺溜勢東趨東壩斷難再進已飭令西壩多做數丈雖少須時日而避溜爲要不得不倍加慎重挑水壩續得十丈九尺連前共二百七十一丈業已挑動大溜仍飭令進占以資放河得力引河積凍已融試放清水亦尚暢順間有微仰之處現飭剗除其河頭老土及龍鬚溝均經挑竣惟十性沙淤刷深最易抬高殊難故壩工雖形喫重而放河究不敢太早一俟水面抬高風勢順利再行相機啟放斷於一律穩固不敢稍致疏虞並於上次請添稭麻之外另爲酌量添購圍

不敢任意虛糜亦不敢惜費悞工

道光二十四年正月諭前據麟魁等奏壩工遣風壓蟄情形已有旨令該尚書等相機妥辦萬勿坐失機宜計此時當已接奉因思口門僅剩十四丈九尺合龍較易惟埽前水深八九丈餘進占尤須慎重本年節候較早轉瞬桃汛經臨辦理恐更棘手連日未據奏報朕心焦念之至著諭知麟魁廖鴻荃鍾祥鄂順安將現在水勢平險若何進占能否順利約計合龍當在何日據實具奏仍不得因有此旨稍存將就之見草率蒇事致貽後患再前奏內稱挑水壩業已挑動大溜一俟水面抬高風勢順利再行相機啟放等語引河必

須一律深通啟放時方能暢行無滯此時所挑引河情形若何並著一併具奏以慰廑懷

道光二十四年二月諭有人奏中牟大工辦理不善未能及時報竣請專責成以杜後患一摺前因壩工遭風壓蟄降旨令麟魁等相機妥辦昨又由四百里馳諭令將見在情形據實具奏計此時當已接奉矣辦理大工全在委用得人據奏管理料廠管辦引河各員均不能覈實認眞少發工錢以致人夫逃散尅扣廠價以致料販不前且近日連走五埽工程較難等語著麟魁廖鴻荃鍾祥鄂順安將摺內所指各情節逐一確查據實覆奏毋稍容隱

道光二十四年二月麟魁等奏壩工蟄失五占疏曰竊臣等於初七日將引河啟放通暢及西壩門占將成各緣由具奏滿望尅日可以合龍詎意即於是夜子刻據報東壩上邊埽三十七占埽眼被浪衝刷過水橫串夾土壩前及正壩門占湧花不止臣等督率員弁甫將埽眼極力堵護旋於寅刻東正壩門占向西掣走牽動三十六七兩占一併拼合西正壩刷出水僅三四尺後離槽一丈餘尺西壩門占底鈎亦被拼斷歪閃臣等目擊之餘心膽俱裂赶即多集人夫搶廂土料冀可先護正壩夾塞空檔無如黃水陡長又遇北風

河南印刷局印

半入引河半趨壩前各埽占原高出水三丈七八尺忽已淹及中腰正詫異間適據陝州六百里馳報初五日戌時黃水陡長一尺七寸計以後逐時增長又兼壩水擡高自有此象風浪淘擊人力實難堵禦至午刻三占蟄行蟄走初九日卯刻續塌去三十四五兩占現在臣等仍分駐壩頭飭令將已成之占加廂守護並搶補料物查看引河溜尚東趨但恐日後溜掣沙停已派員專駐河頭隨時察驗一見平緩即速築攔黃壩以免受淤

道光二十四年二月諭前派麟魁廖鴻荃督辦中牟大工連日具奏將次合龍方深殷盼乃本日復據奏稱於初七初九等日連次蟄失五占自請從重治罪並請簡派熟諳河務之大臣來工督辦等語覽奏憤懣之至從前若能趕緊辦理於正月內合龍則春水未旺焉有此失總係麟魁等辦理顢頇遷延所致罪無可寬惟遽予罷斥另派大臣接辦伊等轉得置身事外諉過他人麟魁廖鴻荃均著革職給予七品頂戴仍留河工督率倘能竭力挽回尚可量從寬典鍾祥任事未久著革職給予七品頂戴暫留河督之任鄂順安係兼管河工著革職留任降爲三品頂戴所有全工事宜仍著責成麟魁廖鴻荃鍾祥鄂順安督飭在工文武員弁趕緊設法相機妥辦設若仍前玩泄必皆重治其罪所有應行陳

奏事件仍著照舊列銜會奏此次失事之文武掌壩各員弁著麟魁等查明嚴參具奏

道光二十四年二月諭前因麟魁等奏大工蟄失埽占自請治罪當經降旨將麟魁等分別懲處仍責令赶緊挽回以圖後效本日復據奏稱所需物料近處無可籌買分投購運愈遠愈遲斷非一二月所能備齊次勢日增補築萬難措手且時方耕作人夫多已歸農一時難於招集請援照儀封等工成案展緩辦理所稱種種棘手自係實在情形若仍令勉强赶辦終歸無濟著准其將現在壩工暫行緩辦麟魁廖鴻荃係特派督辦之員遷延不力咎無可辭前已有旨革職著將所給七品頂戴一併革去即行來京聽候諭旨鍾祥現留河督之任鄂順安係兼管河務所有全工事宜著即會同悉心籌畫將來興舉大工即著鍾祥鄂順安督辦以專責成此時惟有嚴飭工員將兩壩埽占設法保護遇大汛經臨尤須竭力防守庶將來補築尙易爲功

道光二十四年二月麟魁等奏稱奉上諭麟魁等奏蟄失埽占自請治罪當經降旨將麟魁等分別懲處現既仍令督辦若能相機廂築仍獲蕆工尙可量加寬貸即或情形險要一時未克施功亦當將已成埽占擇要加廂守護現在如何修守新工如何保護著體察

河南印刷局印

情形酌量緩急迅即據實具奏等因欽此竊中牟大工埽占墊失後種種棘手臣等已將萬難補築情形縷晰陳明請撥照成案暫行緩辦於二月十八日具奏在案茲欽奉諭旨詢及新工如何保護詳查續行水金鑑乾隆年間之儀封青龍岡嘉慶年間之曹工邵家壩等案俱因堵閉無成奏請停緩然所以保護新占之法並無明文連日與道將等悉心計議據稱黃河挾淤夾沙勢甚雄猛豫省又俗名坡河伏秋盛漲非二百丈口門不能容納此時若將兩壩並留口門僅剩三十餘丈一遇大汛不惟埽占難於守護兼恐下游上潰別有疏虞且引河頭之攔黃壩亦慮刷塌受淤挑挖更為費手為今之計西壩埽前雖水深溜急但有挑水壩蓋護若將挑水壩擇要加倍西壩埽占尚可不致全棄東壩現當大溜與其任汛水沖刷不如及早將出水埽面拆除展寬口門擇其可用之料物作為加廂之用俟秋後興辦庶費省而工較速其攔黃壩亦須竭力保守以免引河淤墊致將來挑挖過費臣等再四熟商意見相同擬即飭令該管道員督同廳營隨時相機辦理查歷屆大工口門至寬不過二三百丈此次寬至四百三十餘丈為從來所未有且屢遭風暴土性純沙上愈廂而下愈淘自來廂築之難又未有過於此者臣等雖愚亦深知事體重

大自到工以後督率工員晝夜不懈將四百二十餘丈埽工均已做成祗剩口門四丈五尺並已將兩壩捆廂船提出挂纜合龍即在指顧不意水勢驟長復遭風暴埽占頓墊既惜功敗於垂成又愧補救之無術計窮力竭措手萬難並非敢游移推諉(一)分見經費門按後經鍾祥鄂順安於十一月奏明因伏秋來源向不甚旺酌量少拆金門實寬一百六十八丈

道光二十四年給事中陳慶鏞奏稱竊河南中牟九堡于上年七月漫溢一時未能合龍現當秋汛屆期各處要工責推行盡利方能底成厥績臣愚以爲當責其所成儲其所用保其所要防其所因本年二月因前任尚書麟魁廖鴻荃辦理合龍埽工墊失五占特命撤任回京而以鍾祥鄂順安留工籌辦並令悉心妥議近因河南省城水溢請欵疏濬近河以禦城垣保護誠無可虞惟轉瞬大工合龍該河督巡撫在工日久當經相度機宜胸有成算應請飭下專心一手辦理於秋汛既平春水未旺尅期合龍倘自揣未能剋敍合行先期疏明仍俟簡派熟諳河務大員及曾任著有成效者往治之以期一勞永逸無復虛糜國帑致蹈上年故轍臣故曰當責其所成也上年冬間需次合龍聞各處料垛價倍

河南印刷局印

異常施工無所措手嗣因出示曉諭乃陸續運至而大工業已愆期價値倍數而償竟不濟事現該省未及被水村莊之處年景尚順乘收成之日爾稍不至昂貴宜及時購買敷足於用則事省而功倍臨時無掣肘之虞臣故曰當儲其所用也東河與南河雖分兩地其質止一河東河潰南河必受其釁漫水下注江南必須大疏海口黃水利於迅厲急則通而緩則澱茲以無制之水任性周行決不能循道而下勢必全黃入洪澤湖而湖底本爲高仰又增以挾沙之漫水積淤其中設使西北風起高家堰最爲喫重應請飭下南河總督於高家堰一帶竭力保固復遣明幹河員駐紥海口設法疏通導之歸海高家堰既固則南河之水可無患南河之水無患則東河合龍之局計日而成臣故曰當保其所要也大河出中牟即由蘭儀考城經歸德府入江蘇之徐州以至淮安府之淸河縣匯淮由雲梯關入海此順軌也茲乃潰出祥符縣之朱仙鎭由陳州府之周家口下注於安徽之潁州府浸淫於鳳陽府查河南省城外來饑民其數不少而撫馭尚屬安靖惟潁州鳳陽二郡民情素稱强悍自上年七月漫潰之後至今已及一年其失業流亡之人紛至沓來原望本年合龍水退可期回家耕作今茲未能且其地離家較遠巡撫藩臬耳目不能周

到而何辦賑務不過委佐雜微員下鄉稽查戶口開載姓名甚或串通胥吏以小報大以寡報多從中漁利今縱不至於此而亦不可不防其漸應請飭下安徽巡撫會同河南巡撫設法撫綏仍選素知自愛之員實力稽查安插妥善不致顛沛流離釀成他故則與其治之於已然何若遏之於未然其勢易治故曰當防其所因也

道光二十四年三月鍾祥鄂順安奏稱臣等查堵築壩分派掌壩文武員弁各有專司文員係稽查彈壓催趲夫料武弁係撈檔打張廂築進占即武掌壩亦有分管正壩上下水並上下邊埽以及夾土壩之別原期各有責成而免推諉此次中牟大工東壩蟄失埽占係先由上邊埽二十七占埽眼被浪衝刷過水橫串夾土壩前及正壩門占翻花不止適值水長風緊人力難於搶護以致掣走應請將掌管上邊埽之儀睢協備吳懷恩經管上邊埽夾土壩之蘭封都司邱廣玉即行革職掌管正壩上下水之江南桃北營守備周宜豫省下南協備張奇亮掌管下邊埽之東省曹河協備楊懷琨均降為千總其餘隨同力作員弁由臣等分別懲辦至文掌壩各員雖不管埽占工作惟亦有稽查之責應請將掌理東壩之蘭儀同知張承恩下南同知賴安下北同知徐啟山署中河通判王廣恕均革

河南印刷局印

去頂戴仍責令各該員弁自備資斧留工効力以贖前愆奉諭鍾祥等奏查明掌壩文武員弁分別嚴參一摺此次中牟大工蟄失埽占該員弁等各有專司自應分別懲處所有掌管上邊埽之儀睢協備吳懷恩經管上邊埽夾土壩之蘭儀都司邱廣玉均著即行革職加枷號一個月滿日釋放留於河工自備資斧効力贖罪掌管正壩上下水之江南桃北營守備周宜豫省下南協備張命堯掌管下邊埽之東省曹河協備楊懷瑶掌理東壩之蘭儀同知張承恩下南同知賴安下北同知徐啟山署中河同知王廣恕均著革職留於河工自備資斧効力贖罪

道光二十四年五月准築攔黃堰及蓋壩各隄防護省城

道光二十四年五月鍾祥鄂順安會勘中牟壩工現在督飭修守情形奏曰竊臣等奉上諭鍾祥等奏籌畫全工事宜一摺現在壩工拆展埽占務須審度溜勢趨向勿失機宜引河頭新築攔黃壩現須加高培厚外廂防風著即督飭員弁分赴各壩住守保護仍責成該管道廳實力修防並著鍾祥等不時查察倘因灌受淤惟該河督等是問等因欽此臣等當即敬謹欽遵辦理並轉行該管道廳委員一體遵辦旋據稟稱壩工拆展原備伏秋

盛漲之水行走暢速以免上游隄工喫重惟溜趨靡常前擬就東壩拆展現在溜由西壩行走應察看兩壩形勢分別展寬而壩工廂做均係屑土屑料現歷數月業經蟄實料土膠粘起拆倍費工力所拆之料均已散碎等語臣鍾祥到工會同臣鄂順安親往詳細履勘與所禀情形相符現在督飭趕拆兼須護惜工料固不敢拘定展寬二百丈之數亦不致徒博撙節之名致滋貽誤惟當相機妥慎辦理其兩壩在後埽占因秫稭發扁均多蟄矮必須加高以資保守挑水壩並壩尾現係臨黃亦應增培外廂防風埽工用以攩禦盛漲之水兼可蓋護西壩未拆占埽先據道廳委員具禀臣等到工覆勘俱屬應辦之工亦已督飭分投趕辦至引河為全局最要關鍵除將前築攔黃壩並防風埽業已加高培厚外復退後數十丈估築攔黃二壩一道以資重障且查每年盛漲之水係背律漫灘誠恐灘水由土山後串入引河致有淤墊現於北岸陽武汛十五堡斜向東南至引河南厓估築攔河大壩一道長一千七百四十丈而一經攔截水無去路又恐上游隄工喫重並於迤上估挑寬深出水溝一道俾灘水仍由溝歸入大河以免停積其餘串水溝槽亦俱築壩攔截務保無虞凡修守各事臣等當會同督飭道廳委員隨時審度機宜妥為防守斷

不敢游移疏忽重干咎戾

道光二十四年七月鍾祥鄂順安奏預籌補築中牟壩工現在勘估情形（見經費門）

道光二十四年九月鍾祥鄂順安奏溝工綫工先行興挑疏曰引河爲全局最要關鍵擇委河北道鄧慶祥總理其事先經委員勘估復飭該自道上而下確切覆勘具禀前來臣等細加確核查上年原估引河自第一段至八十九段受淤尚不甚重現須抽溝疏導擬作爲上截俟宣放清水後再行估計外以下自閻河集東南遶張莊起至蘭儀廳蘭陽汛十二堡止應估加挑下截引河一百二十五段共長二萬七千六百三十五丈減半挑口寬十七丈四尺至八丈二尺底寬十三丈至五丈深一丈一尺至八尺又自蘭陽汛十二堡以下至江南交界共估加挑溝工五十八段綫工四十一段共計長四萬三千七百九十丈惟氽水積潦通長淤墊必須自下而上挑挖使水有去路方能辦理迅速現經責成該道鄧慶祥先將溝工綫工派員承挑尅日完竣以便宣放清水接辦加挑引河

道光二十四年十月鍾祥鄂順安奏溝工綫工將次完竣趕辦加挑引河工程及挑水壩先行興工疏曰伏查堵築壩工必須將引河挑有分數方能定期進占始免停壩待河之

庋此次補築中牟大壩因上年原挑引河尚須加深並因通長積水應自下而上挑挖藉以宣洩易於施工是以先挑下游溝綫工程臣等督飭河北道嚴慶祥及總催分催等官上下輪流嚴催承辦廳員認眞如式趕挑辰下將次完竣一俟驗收後即宣放清水其原估加挑下截引河一百二十五段業於九月二十及二十五十月初一初六初九等日先後挖水興挑責成河北道督辦臣等仍往來嚴查密察不任草率遲延至上截引河自上年原估引河頭起至八十九段迤張莊下截引河工頭止現長三千五百五十三丈經夏秋雨水冲刷來沙淤墊河身高窪不平今分作八段除積水較深之第一第三第五第七等段祇須俟宣放清水後相機順勢搶挑外其第二第四第六第八等段應估加挑均深一丈口寬自十七丈四尺至十二丈底寬十三丈四尺至八丈以期一律通暢亦已派員尅日興工勒限趲挑又引河頭應向北挪展並接挑工段飭據河北道督同委員確切勘估先將攔河壩迤西舊挑龍鬚溝北面前積土山挑切與灘面平南長八十五丈一尺北長七十三丈一尺寬十八丈至三十三丈高八尺五寸至一丈八尺再將攔河壩東引河頭北面展寬與水面平南長五十一丈北長五十六丈六尺上寬十六丈下無寬牽高一

河南印刷局印

丈七尺五寸再與攔河壩西面嫩灘之上先接挑引河頭一段牽長一百三十三丈上寬八十丈底寬七十四丈下寬七十丈底寬六十四丈深一丈五尺如此分別挑辦以期放河可得吸川之益惟該工出土較多必須趕早辦理現已派員即日興工分投趕辦並據總局司道府等議稟引河頭既向北挪展則舊挑水壩形勢不順未敢拘泥原奏接長之議虛費錢糧亦請向北移距舊壩一百三十五丈就老灘另建壩基長一百八十五丈接進埽占以期挑溜得力等情臣等復親往確勘所請移建挑水壩甚合機宜業經飭令先築壩基並因該壩係挑壩歸入引河為全局最要關鍵既已移築則應做埽工較長必須趕早興工謹諏吉於十月十二日督令掌管挑水壩之文武員弁進占廂埽妥慎辦理其二壩工程應於東西兩岸建築壩基壩尾先經飭據總局督同委員估定東二壩尾做長四百八十丈西二壩尾做長二百三十九丈估築壩基各長五十丈日內即可辦竣臣等驗收後亦即督飭派委二壩員弁接進埽占須俟挑水壩並二壩埽工各進數十丈再將大壩擇吉興工補築始能一氣呵成

道光二十五年正月諭據鍾祥等馳奏中牟大工合龍日期一摺此次興辦大工責成鍾

漲

同治三年九月諭譚廷襄奏搶辦中河廳十三堡險工繪圖呈覽一摺據稱中河廳十三堡漬隄圈刷之處搶辦後戧因灘係純沙隨築隨塌擬於退後數十丈現圈築圍埝之處加高培厚再將先年老越隄補築完整以作重障赶築圍埝長三百餘丈補築老月隄原長七百七十八丈力爲收縮尚有六百餘丈等語中河十三堡存灘被刷驟出奇險現雖搶辦漸臻底定而築埝修隄既據譚廷襄奏爲分緊迫自未便稍涉延緩至右家橋鄭下汛九堡刷塌隄邊二十餘丈亦關緊要即照譚廷襄所擬認眞辦理　分見經費門

同治四年七月河道總督張之萬奏南岸上南廳鄭下汛十堡一帶無工處所因河勢圈注塌埽漬隄情形緊要正在搶辦間風雨頻番全河溜勢側注跳激趨淘非常湍急以致該工新廂埽工先後墩蟄隄身同時隨塌隨廂隨蟄隄頂僅存丈餘等語奉諭該廳河岸逼近省垣工程甚關緊要見在河流側注埽工蟄塌僅存一綫長隄萬分危險張之萬身任河督責無旁貸即著督飭道廳營汛各員弁實力搶護毋稍疏懈

同治四年八月河督張之萬奏祥河廳祥符汛大河溜勢由十四堡對岸灣折北趨直射

十五堡勢甚湍激致順隄七八兩埽陡蟄入水其八埽後起至十六埽後止大隄裂縫七十餘丈等語奉諭飭該道廳等將廳厢隄埽各工實力搶辦俾一律均臻穩固不准稍有疏虞

同治五年十二月諭接修豫省上游及滑濬等處長隄

同治七年七月河督蘇廷魁奏稱竊臣昨將防護秋汛情形具奏後旋即督飭兩道各廳將上南中河祥河險要各工分投搶護而上南廳胡家屯溜勢於二十四日以後忽爾提至滎澤汛十堡該處舊工久經淤閉隄身本矮水勢非常旺盛又復停積不消泛濫奔騰湧注隄根登時緣高數尺直與隄身相等當經號召人夫催料上隄下埽拋石搶鑲後戗埽則隨下隨蟄石則隨拋隨卸更兼徹夜風雨無土可取人力難施水勢由隄頂漫過刷寬口門三十餘丈探量水尚不深所幸溜走中泓尚有一綫可救臣已一面飭司寬籌款項一面飛調州縣辦料集夫一面督率道廳盤做東西裹頭搶下埽占實力追壓爲亡羊補牢之計惟冀仰叨神佑水勢不長大溜不變便可一氣呵成但秋汛正永來源莫測臣惟有竭心竭力冀挽狂瀾其餘祥河中河兩處險工亦在分投督飭趕辦等語奉上諭該

處險工亟宜搶護著蘇廷魁督飭所屬寬備稭料廣集人夫乘此尚未奪溜之時赶緊盤做東西裹頭搶下埽占實力追壓以維危局

同治七年七月諭蘇廷魁奏上南河廳黄水漫口請將文武懲處並自請治罪一摺本年六月間上南河廳溜勢提至滎澤十堡坐灣淘刷水勢擡高漫隄過水雖經該道廳盤做裹頭正河未至奪溜旁趨而口門已刷寬九十餘丈在工各員疏於防護咎無可辭除上南同知鄒粱辦理不善業經隨隄身故外該署河督請將廳員等分别革職議處尚覺過輕署上南守備王麟滎澤汛縣丞鄭國琨署滎鄭汛把總朱永和均著即行革職枷號河干以示懲儆開歸道紹諴著摘去頂帶交部照例議處蘇廷魁督辦河防是其專責未能先事豫防亦難辭咎著摘去頂戴革職留任仍責成戴罪自效督率在工各員赶緊堵築毋稍延誤

同治七年七月諭前據蘇廷魁李鶴年先後馳奏黄河南岸滎澤汛十堡漫口情形經諭令該撫等督飭各該道廳赶緊搶護茲據蘇廷魁奏該處漫口已刷寬九十餘丈雖經盤做裹頭正河未至奪溜而口門丈尺甚寬實屬修防不力蘇廷魁身任河督河務是其

專責著即赶緊鳩集物料設法搶辦倘能迅速蕆功其咎尚可末減若再玩誤定當嚴懲不貸李鶴年現既前赴工所著即星馳抵工會同蘇廷魁督率道廳營汛各員認眞搶築隄工毋任大溜旁趨致成巨患北岸七堡及順二堡埝身爲黃水衝刷各埽數丈情形喫緊並著蘇廷魁李鶴年會督河北道堵禦搶護毋任再有疏失同知鄒槃於所屬工次石料任聽土夫偷竊售賣漫無稽察致令失事殊堪痛恨業經隨隄落水身故應毋庸議嗣後各廳營汛文武各員弁如有此等玩誤情形該署河督當隨時訪察嚴參懲辦不得稍事姑息

同治七年七月諭李鶴年奏沁河陡漲民隄漫溢見飭勘辦大概情形一摺據稱武陟縣西北岸趙樊村連日河水陡長水高隄面溜勢頂衝該處隄身漫溢掣溜北趨口門約寬五十餘丈由下游修武一帶行走現已設法堵築等語前因榮澤十堡漫口當經諭令該撫馳赴工所會同蘇廷魁督屬搶築茲復據報樊村民隄漫溢是前險未平後患洊至覽奏實爲焦急著蘇廷魁李鶴年會督該管道府廳縣等赶緊購集夫料設法堵築毋任泛濫無歸並查明水勢究由何處歸宿妥籌辦理榮澤漫口工程已否辦有頭緒秋汛前能

否竣工見在大溜曾否全行掣動並著蘇廷魁李鶴年分飭赶築各廳文武員弁如有偷減玩誤情事蘇廷魁等當懍遵前旨隨時訪查嚴參懲辦諭李鶴年奏滎工口門刷寬一摺覽奏曷勝焦急前據蘇廷魁李鶴年先後奏報漫口情形聲稱口門尚未刷寬方期赶緊堵築易於蕆事乃現在滎工門口已刷寬二百餘丈若任其潰溢將來逐漸塌卸勢將何所底止著蘇廷魁李鶴年嚴飭道廳及在工各員弁赶緊盤築兩壩裹頭毋令再行衝刷俟霜清水落即行設法堵合

同治七年八月諭蘇廷魁李鶴年奏請撥欵堵築滎工分流一摺黃河滎工漫口隄岸塌寬二百十丈之多現經蘇廷魁等督率工員搶廂兩壩裹頭雖已完竣而口門寬廣正河溜勢恐其併歸分流處所南趨該署河督等現擬於外口估築攔溝大壩以閉其氣俟壩基增培完竣即於兩壩先行進占爲收窄合龍地步著即赶緊籌辦〇分見經費門

同治七年十一月諭蘇廷魁李鶴年奏滎工兩壩埽占情形並防護淩汛各摺片滎工口門自本月初八日溜勢即走中泓東西兩壩埽占情形均見輕緩趁此事機順利著該署河督等督飭在工員弁赶辦料物無分晝夜竭力興辦以期年內合龍現在河冰雖未凘

凌但一經風雪即轉沍寒冰凌不可不防並著該署河督等飭屬妥慎防護力保無虞

同治八年正月河東河道總督蘇廷魁河南巡撫李鶴年奏稱竊臣等於本月初三日將展辦滎工情形由驛具奏後仍督率兩壩文武員弁實力催趲冀早竣事查該工係屬分流難挑引河當於西壩占添做雁翅埽以順溜勢東壩占廂做魚鱗埽以資輔助坐灣埽段跟盤高墊察看正邊兩埽門占均臻穩定遂擇吉於本月十五日掛纜合龍趕進料土窮三晝夜之力追壓到底護以土包複至十八日一律閉氣工已堅穩此皆仰賴聖德神庥俾三省災黎得免昏墊而所請帑金部庫撥至百萬不致停工待餉用能告厥成功僚吏軍民同深歡躍第該工大溜併股東趨仍靠壩前尚須晉壓大土其稭料發扁之處並須加廂統俟辦竣再行確核用數其大壩前面應廂護埽後面應幫土戧及增培隄壩等備料物統歸善後估辦本年南岸三廳修守尤關緊要必須按汛確估俟滎工用款核定即以原請節省存項辦理善後修守均不另請添撥如再有盈餘奏繳部庫以免虛耗滎工總局及在工文武委員應即裁撤以省糜費善後修守各工即責成該管道督飭趕辦原派彈壓營弁兵丁亦由臣李鶴年分別裁減酌留防守至此次調工當差河工地方文

武員弁衛寒冒險分投辦料廂埽數月耐勞頗有成效容臣等援照歷届成案擇其尤爲出力者酌量請保以資鼓勵

同治八年正月諭蘇廷魁李鶴年奏滎工合龍抃籌辦善後一摺見在大溜併股東趨仍靠壩前必須普厯大土其大壩前後應廂護埽應幫土戧及增培隄壩均當速籌妥辦南岸三廳修守尤關緊要著蘇廷魁等即將此次節省存項籌備物料責成該管道督飭赶辦務期全工穩固永慶安瀾不得草率從事致有貽誤

同治九年十二月諭東河總督嚴禁河工偷減侵蝕諸弊

同治十年七月諭李鶴年奏沁河漫口及漫水趨近攔黃埝各摺片豫省河内縣所屬之徐保村本年沁水盛漲復因大雨長至九尺餘該縣小王莊無工處所漫溢過隄衝刷二十餘丈見在水勢趨至攔黃埝後身情形甚爲喫緊亟應設法保護著李鶴年飭令河北道督率廳汛各員赶緊分別疏消保護黃河隄岸並將沁河漫口堵築毋稍遲緩其武陟原村等處埽段據稱情形亦甚喫緊該撫務當豫籌防範以保無虞

光緒八年奏准上南廳滎澤汛十堡爲同治七年大工金門近數年河勢南圈側注疉生

巨險現已加築月格等隄以期防患未然

光緒九年十一月河南巡撫鹿傳霖奏稱竊前因滎澤縣保和寨東北黃溜南圈陡生險工形勢萬分喫緊經臣等將派委員弁竭力搶護緣由會同具奏在案查該處河勢忽然變遷從前溜在北岸自鷄心灘淤高出水河身逼窄北岸只餘一綫細流全河大溜直趨南岸不惟民埝塌卸無存即當時趕築之土壩及護埽之磚簍時被冲刷當溜急之處幷有連土壩磚簍大坯塌入河內者危險異常計陸續塌陷南圈已不下數十丈經副將裴政榮澤縣知縣連魁等督飭兵夫節節退守晝夜用磚拋護並趕將上南廳存儲竹簍一千餘個數提借復諭附近居民趕編柳簍估價收買隨時應用一面派參將陳錦標星夜馳赴孟津催運石方到工相機搶護因於民埝之內添築月隄一道長二百一十五丈未塌民埝加幫後戧長一百五十五丈均高八尺底寬三丈頂寬一丈幸隄內之地較水面略高時又節屆霜清水將歸槽十月初旬以後河水漸落郭廟後磚石大壩拋成始將急溜挑出而回溜仍刷隄根相其水勢緩急設法多拋磚垜以資抵禦計自保和寨迤東共拋磚石大壩八道小垜五十八個工長二百一十餘丈均已次第告成察看河溜年內可

保無虞惟此次所築壩戧等工原係倉卒搶辦均形單薄河已坐灣來春汛期溜長恐難抵禦當飭開歸陳許道陳彝妥細勘估據該道勘驗稟稱能將北岸河身挑挖引溜仍歸故道最爲上策但工程過於浩大難於估計惟有於西埝頭擇要修築大石壩一道約長十丈再於中間添築磚石垛一道即可接至現拋之頭壩第搶辦之大壩八道入水未深形勢亦小難期穩住應再加高培厚處處聯絡保護新築土隄亦一律幫寬六尺選取淤土層層加築行硪以期堅固其保和寨後涸河新沖之處刻値水勢上提西面岸灘日見塌卸程莊一帶民田半入水內亦須順河築埝與西埝頭上首相接南北約長八百餘丈中築土壩數道藉資防禦此河溜南趨暫時搶護平穩來春亟須續籌防範之實在情形也刻因嚴寒凍結工作難施已飭撤隊回防酌留參將陳錦標駐工防守隨時察看如有塌卸將存工磚石相機拋護以臻穩慎俟來歲春融即行動工加築除飭該道等將來春應築工程確實勘估核明另行陳奏幷派員即日赴山採辦石方多僱船隻迅速運工仍於工次收買磚料均限汛前一律辦齊以資防護

豫河志 卷七 十八

後記

我是從數學史學習中逐步瞭解治黄史的。漢代《許商算術》的作者許商，好天文術數之事的王景、李尋善，他們既是數學家，又以治理黄河而聞名。我國現存最早的河工著作《河防通議》，將中國古典數學天元術運用到治黄工程中，創造了中國古代工程數學的一個高峰。除了數學史之外，内蒙古師範大學科學技術史研究還以少數民族科技史和地方科技史見長。李迪先生曾指出地方科技史研究的重要内容是人與自然環境變遷、科技遺迹與自然環境以及環境與生産的關係，此類研究具有明顯的現實意義和重要價值。想要通過大科學史研究，弄清變遷的原因和未來的發展趨勢，産出對于地方各方面的開發有更大、更直接價值的成果，這類研究大多離不開文獻。之後，李迪先生更是直接指出科技史研究不僅是對過去的科技工作和科技成果的回顧與總結，而且要着眼于現代，讓古人的發明創造爲今人服務，繼續在現代發揮其應有的作用。我將先生大科學史的治學理念視爲座右銘，在科研工作中更加注重讓科研成果服務于國家戰略與區域發展需求。

二〇一九年九月，習近平總書記在黄河流域生態保護和高質量發展座談會上指出，黄河流域在我國經濟社會發展和生態安全方面具有十分重要的地位。黄河流域生態保護和高質量發展是重大國家戰略。同年十月，黨的十九届四中全會提出『加强邊疆治理，推進興邊富民』，首次把邊疆治理寫入黨的文件。内蒙古師範大學組織科研力量，積極申報研究闡釋黨的十九届四中全會精神的國家社科基金重大項目，其中『中國特色社會主義民族區域自治制度自信研究』項目獲批。我承擔其中的『鑄牢中華民族共同體意識下的民族自治地方文化自信研究』子課題，而黄河是首選文化要素。二〇二四年，該項目順利結項，我也對黄河文化所藴含的時代價值有了更深的體會。

有鑒于此，我帶領文化遺産智能應用服務中華民族共同體建設『英才興蒙』團隊，以黄河爲主題，開展了文獻、文物、傳統工藝等多模態資源庫建設和跨模態應用示範工作。這次與内蒙古人民出版社合作出版的《黄河國家治理文獻集成》，旨在梳理和總結文獻中所藴含的歷史經驗和文化信息，爲當代及未來的黄河治理和地方文旅産業發展提供參考與借鑒。

感謝内蒙古民族文化産業研究院、巴彦淖爾市圖書館等单位的傾力相助，感謝内蒙古自治區黨委宣傳部、内蒙古出版集團、内蒙古人民出版社對本項目的支持與幫助。

在此，也向致力于黄河治理和大河安瀾的歷代先賢與當代典範表達崇高的敬意：你們的不懈努力與無私奉獻，爲黄河的安寧與人民的福祉築起了堅實的防綫；你們的智慧與勇氣，將永遠銘刻在中華民族的歷史豐碑上，激勵後人不斷前行。

董杰

二〇二五年一月

北疆文化